Tinka

ED FRANCK

averbode

Tinka

Met dank aan
Azra Brkan en Zlatko Dizdarevic

De heuvels toen en nu

Vroeger waren de heuvels rondom de stad vriendelijk. Voorbij de laatste huizen kon je er gaan wandelen, ze verrasten je altijd met nieuwe paadjes. Je kon gaan picknicken op hun warme hellingen. Je kon er bosbessen en bramen plukken, emmers vol. Je kon er heerlijk verstoppertje spelen in die wirwar van struiken, bulten, spleten, bomen en rotsen. En als je moe was, kon je op een grote steen gaan zitten, je ogen over de stad in het dal laten dwalen en proberen te raden waar je precies woonde. Als het erg warm was, vond je altijd wel een beekje dat naar de rivier beneden liep, om in te pootjebaden. Als het 's nachts onweerde, was het dubbel zo gezellig in bed, omdat de heuvels als goedmoedige beren gromden. En als de zon over de stad brandde, riepen de heuvels: kom, we hebben koele plekjes. De heuvels kon je vertrouwen. Ze waren er al toen de stad nog niet bestond. En toen de stad geboren werd en groeide, namen de heuvels haar in hun armen.

Maar nu staan er al drie maanden kanonnen en mortieren op de heuvels, met hun lopen naar de stad gericht. Hun hellingen verbergen mijnen en er lopen kinderen rond die een voet of een been missen. Tinka heeft een nieuw woord geleerd: burgeroorlog. Een woord vol granaten die brokken asfalt uit de straten rukken, daken doen instorten, midden in een groepje mensen ontploffen. Een woord dat trilt van de sirenes

7

van ziekenwagens en gloeit van vlammen die uit huizen slaan. Een woord zo vies als verkoolde autowrakken en met onkruid begroeide puinhopen. Een lang woord dat kronkelt als een sliert vluchtelingen die naar een andere stad verhuizen. Een donker woord dat op de loer ligt als de sluipschutters in de buitenwijken.

Als Tinka naar de heuvels kijkt, weet ze dat ze goede vrienden heeft verloren.

Achter zeven rivieren
en zeven wouden

Er zijn dagen zonder granaten. Alsof de vijand moedeloos is
geworden van de stad die niet wil leegbloeden, die koppig
blijft leven met open wonden.

Tinka staat voor het open raam in de volle gloed van de mid-
dagzon en ademt diep in. Zit dat tintelende gevoel in de
lucht of in haar bloed?

'Wat sta je daar te dromen?' zegt haar moeder. 'Hier, je rug-
zakje. Ik heb er een paar biscuits ingestopt. Vanavond eten
we koolsoep met wat bonen. Er is weer geen gas vandaag en
het hout voor de kachel raakt ook op.'

Hoe vaak al heeft Tinka die zucht van haar moeder gehoord?

De rugzak weegt licht: biscuits uit de voedselpakketten, een
kladschrift, een potlood. Op deze laatste dag van het school-
jaar hoeven de leerboeken niet mee.

'We zullen dit jaar geen kersen van oom Gustav krijgen', zegt
haar moeder. 'Hij heeft zijn boom omgehakt. Liever warm
eten dan koude kersen, zei hij. Ja, een grapjas is hij altijd
wel geweest.'

Jammer, denkt Tinka. Met een emmer vol kersen over de
straat lopen, mooi zou dat geweest zijn.

'Het is rustig vandaag, maar neem je toch de veilige weg?'
vraagt haar moeder bij de deur, met Simo op haar arm.

Iedereen weet welke pleinen en straten en hoeken niet veilig
zijn voor de kogels van de sluipschutters. Ze hebben zich in
de buitenwijken in leegstaande flatgebouwen verschanst en

loeren geduldig door hun verrekijkers.

'Natuurlijk', zegt Tinka. 'Tot straks.' Ze knijpt haar broertje in zijn blote bil.

Zodra ze de hoek omslaat, ziet ze een nieuwe tekst in grote kalkletters op de muur van de broodfabriek. DE ZON BLOEDT LEEG. En zoals altijd kijkt ze naar het huis ernaast, dat de granaten heeft gekregen die waarschijnlijk voor de fabriek waren bedoeld. Een huis van twee verdiepingen, waarvan alleen de zijmuur met de trap is overgebleven, met een deur bovenaan en verder niets.

Als je die deur opendoet, sta je in de hemel, denkt Tinka.

Een kleine vrachtwagen met een grote kooi komt aangereden. De hondenvangers zijn weer op zoek naar zwerfhonden. Ze vangen ze met een lus aan een lange stok. Niemand weet wat er met de gevangen honden gebeurt.

De vrachtwagen stopt bij Tinka en de man naast de chauffeur draait het raampje open. Tinka herkent de vader van Mathias.

'Op weg naar school, Tinka? Zeg je tegen Mathias dat hij straks bij zijn tante moet gaan eten? Ik heb veel werk vandaag, het wordt laat vanavond. Morgen vakantie, hè? Nauwelijks les gehad en alweer vakantie! Geluksvogels!'

Pechvogels, denkt Tinka. Ze zou graag veel nieuwe dingen leren, de wereld is te groot voor haar kleine hoofd en ze wil er meer over weten. Maar de laatste maanden kwam er niet veel van. Alleen als het rustig was, belde de meester bij de kinderen aan om ze uit te halen voor de les in de schuilkelder. En zelfs dan was het vaak een rommeltje, omdat grote mensen bij een onverwachte aanval naar binnen kwamen gevlucht. Hoe kon je nu een toneelspel doen of op vragen antwoorden als al die vreemde ogen toekeken? Soms trilde de grond en viel het licht uit. Echt gezellig was het er alleen als Milenko op bezoek kwam, de beste turner van het hele land volgens de meester. Hij mocht zeker naar de volgende Olympische Spelen. 'Zullen we die slappe lichamen eens wat opkrikken?' riep hij dan. Hij trok altijd zijn hemd uit. Je zag zijn spieren over zijn naakt bovenlijf wandelen en je deed geweldig je best, want wie wilde niet zo mooi zijn als Milenko? Na de oefeningen moesten ze opzij gaan staan en dan voerde hij een aantal salto's uit. Het applaus klonk altijd heel hard in die nauwe ruimte.

Bij de ingang van de schuilkelder vertelt Tinka Mathias meteen wat zijn vader heeft gezegd.

'Als dat maar geen gemalen hondenvlees wordt!' zegt hij lachend. Mathias zie je nooit sip kijken, de oorlog lijkt langs hem af te glijden als regenwater.

De meester klapt in zijn handen. Tinka mist het feestelijke geluid van de koperen bel naast de schooldeur.

'Vandaag is er een staakt-het-vuren, er zijn een paar hoge pieten op bezoek in onze stad', zegt de meester. 'We kunnen dus hier buiten op het grasveld blijven.'

Ze gaan in een kring zitten.

'Een uurtje zal wel genoeg zijn voor vandaag', zegt de meester. Hij zwijgt en kijkt naar de lucht, met die donkere ogen achter kleine brillenglazen. Zo lang, dat een paar kinderen beginnen te wiebelen.

'Ik vind het jammer dat ik jullie de laatste maanden weinig heb kunnen leren', zegt hij na een tijdje. 'En toch geef ik deze laatste dag geen les. Ik ga jullie een paar verhalen vertellen.'

Daarom houdt Tinka van de meester, hij kan zo mooi vertellen.

Hij begint met het sprookje van de negen witte wolven die op de heuvels woonden en eigenlijk de negen kinderen van een arme vrouw waren, maar zo zelf voor hun eten konden zorgen.

Hij vertelt het sprookje van de jager die op een van de heuvels een roestig kistje met een roestige sleutel kreeg van een blauwe vogel.

Hij vertelt het verhaal van de Windkoning, dat begint met een zin die Tinka prachtig vindt: 'Achter zeven rivieren en zeven wouden, daar waar het water in druppels uiteenspatte op hoge heuvels, woonde de Windkoning in een grot.'

De stem van de meester draagt Tinka naar de heuvels, waar er voor even geen kanonnen onder de bomen staan.

'En nu,' zegt de meester na zijn verhalen, 'zou ik graag samen met jullie het gedicht opzeggen dat ik jullie heb geleerd.'

Tinka's hart slaat een slag over. Hoe vaak al heeft ze dat gedicht in bed gefluisterd, al begrijpt ze sommige stukken niet goed? Het gedicht was er opeens, op talloze blaadjes, verspreid over de hele stad. Niemand weet wie het heeft gemaakt, maar iedereen kent het.

'Klaar?' zegt de meester.

Tinka sluit haar ogen.

We leven in een ongebroken stad
waar de wind meeuwenkreten strooit op graven.
Wat is er geworden van onze heuvels
de heuvels vol verstikte bloemen
waarop bomen vergeefs hun vuisten schudden
en honden zonder baas blaffen?
We zullen nieuwe heuvels moeten bouwen
met onze gewonde handen
als schuilplaats voor onze dromen.

Kom en vertel me
hoe uit oorlog dromen groeien
over kogels die gaan bloeien.

De stemmen sterven weg.

Als Tinka eindelijk haar ogen opendoet, ziet ze de meester naar haar kijken en goedkeurend knikken. Ze wordt er helemaal warm van.

Opeens haalt Mirjana – Mirjana met de rijke ouders – uit haar schooltas een doosje met platte chocolaatjes voor de meester en uit de kring stijgt een langgerekt, verbaasd 'ooohh' op. Ze zien de meester met zijn ogen tellen. Hij haalt zijn knipmes uit zijn zak en snijdt elk chocolaatje in precies gelijke helften. Dan laat hij de doos rondgaan en iedereen zit te smakken en zijn vingers af te likken. Er zijn nog drie stukjes over, maar die zijn voor de meester. 'Voor straks, als je moet huilen omdat je ons moet missen!' roept Mathias.

Maar de meester lacht niet. Hij staart over hun hoofden, alsof ze er niet zijn. 'Ik vind het zo jammer dat jullie deze oorlog moeten meemaken', zegt hij, nauwelijks hoorbaar. 'Het maakt van jullie andere kinderen. Het breekt jullie leven in twee stukken, een ervóór en een erna.'

Hij zucht en komt overeind. 'Zo,' zegt hij, 'ik hoop dat jullie de vakantie gezond en wel doorkomen.'

Iedereen weet wat hij bedoelt. Twee keer al zijn ze naar de begrafenis van een klasgenoot geweest. Tinka moet weer denken aan wat die vervelende Eldin bij de laatste begrafenis tegen haar heeft gezegd: 'Hij had geen hoofd meer toen ze hem terugvonden.'

Een paar jongens rennen al meteen weg, maar Tinka loopt naar de meester, gaat op haar tenen staan en drukt een snelle kus op zijn wang. 'Bedankt voor de verhalen', zegt ze.

'Jij was een van mijn beste leerlingen', fluistert hij in haar oor.

Tinka wandelt terug naar huis, niet bedroefd zoals ze had verwacht, want de woorden van de meester gonzen in haar hoofd en de straten ruiken naar chocolade. Ze denkt aan wat ze vandaag nog moet doen. Voor de broodfabriek in een lange rij gaan staan, in de hoop dat het brood niet op is als zij aan de beurt is. En wel tien emmers water halen aan de pomp op het pleintje, want de watertoren is stukgeschoten. Emmers die ze thuis in de badkuip zal leeggieten, zodat ze een voorraad hebben. Daarna een beetje met Simo spelen. En als die slaapt, zal ze haar drie dozen vanonder haar bed halen. Uit oude kranten heeft ze woorden in alle maten geknipt, die ze bewaart in dozen. In de rode doos liggen boze woorden, in de gele lieve woorden en in de blauwe droevige woorden. En al die woorden kan ze mengen en opplakken en zo krijgt ze haar eigen verhalen. Ze zal een verhaal maken voor de meester en het in zijn brievenbus stoppen.

En in bed zal ze eens moeten nadenken over wat de meester bedoelde met dat leven dat in twee stukken is gebroken.

Een geheim dat zwart glanst

Het is een dag vol geuren en beloften. Een dag met een goedmoedige hommel, een merel op het tuinmuurtje en zacht geneurie van de buurvrouw.

Tinka slentert door de kleine achtertuin en trekt elk sprietje onkruid uit. Jammer dat alle bloemperken weg zijn. Geen gewriemel van kleuren meer, alleen nog het donker- en lichtgroen van groenten. Bonen, uien, bieten, paprika's, aardappelen, kool... En gelukkig de vrolijke rode vlekken van de tomaten. Zelfs het bloemperkje dat ze in de lente heeft aangelegd, met een hart van narcissen in het midden, is weg, ondanks haar tranen. Haar moeder had haar tegen zich aangedrukt en gezegd: 'Op de markt is alles verschrikkelijk duur geworden. Groenten zijn nu belangrijker dan bloemen.'

Tinka begrijpt het wel. Niet voor niets staan potten met sla en peterselie op vensterbanken van huizen zonder tuintjes en op balkons van flatgebouwen. Niet voor niets loopt er 's nachts in de volkstuintjes een bewaker rond, met een geweer vol hagel tegen dieven. Al valt er niet veel te halen, het is erg gevaarlijk tuinieren op zo'n open terrein.

Nadenkend rolt Tinka het laatste sprietje onkruid op tot een groen bolletje, dat langzaam haar vingertoppen kleurt.

Dan loopt ze naar het open raam. 'Mag ik gaan spelen?' roept ze. Ze is met alles klaar wat haar moeder heeft opgedragen. Ze heeft haar haar gewassen met koud water en zonder shampoo. Ze heeft de lakens en dekens van de wasdraden gehaald en netjes opgevouwen. Ze is een voedselpakket gaan halen bij een vrachtwagen van het Rode Kruis en heeft wat erin zat in de keukenkast gelegd. Een pak meel. Een blikje tonijn uit Noorwegen. Een klein zakje poedermelk. Een blik leverworst. Drie plastic zakjes met een beetje olijfolie. Een doosje geitenkaas uit Griekenland. De hulp komt van overal. Tinka heeft de etiketten voorgelezen voor haar moeder. Om haar een plezier te doen. Soms knikte ze, soms trok ze haar wenkbrauwen op.

'Niet langer dan één uurtje!' roept haar moeder terug. 'Dan zal Simo wel wakker zijn.'

Tinka zucht. Haar moeder kan niet meer tegen de drukte en het gejengel van Simo. Er is iets met haar zenuwen, heeft Tinka begrepen, en daarom houdt ze zich zoveel mogelijk met Simo bezig. Op haar vader kan ze niet rekenen. Die schuimt de hele dag de stad af, op zoek naar klusjes, om het even wat, want niemand wil nog een nieuw dak door hem laten timmeren zolang de oorlog duurt.

Tinka rent de straat af naar het pleintje. Als er een uur of drie lang geen ontploffing meer is geweest, mag ze gaan spelen. Haar wijk is gelukkig niet zo gevaarlijk als sommige andere. De kanonnen schieten meestal over hun plek heen en de meeste straatjes zijn zo smal en bochtig dat sluipschutters er weinig kunnen doen. Ze kent de verboden straten en hoeken.

'We gaan een geheime club oprichten!' roept Branko al van ver.

Tinka kijkt de kring rond. Jammer dat Eldin erbij is. Ze mag hem niet. Eldin schiet met een katapult de ramen van verlaten gebouwen aan diggelen, terwijl hij 'alles moet kapot!' schreeuwt. Met ogen die vreemd schitteren. Eldin maakt vallen van ijzerdraad om ratten te vangen. Als er eentje in zit, stookt hij een vuurtje, hangt de val erboven en kijkt toe hoe de rat in het rond draait en piept en tegen de zijkant op-klimt en bovenin ondersteboven gaat hangen tot de vlammen hem ook daar te pakken krijgen en zijn vacht doen krullen. Eldin heeft rattenogen, vindt Tinka. En hij wil later bij de buurtmilitie, om op plunderaars te kunnen schieten.

Nee, dan liever Branko. Die kwam op het idee om een bal van vodden te maken en Tinka voetbalt zo graag. Hij heeft ook een handig karretje gemaakt om snel veel water te halen bij de pomp, gewoon een slee op rolschaatsen. Ze mag het karretje gerust lenen. Soms doet hij wel een beetje raar. Zo-als met een restje gele verf sterren rond kogelgaten schilde-ren. Vreemd, ja, maar je wordt er niet zenuwachtig van.

'Wie bij de club wil, moet eerst één geheim vertellen', zegt de slome Antun tegen Tinka. 'Heb jij een geheim?'

Tinka denkt na. Ze weet een paar braamstruiken staan, goed verborgen achter de ruïnes bij het station. Over een maand zullen de bramen rijp zijn. Het is een geheim dat zwart glanst en lekker smaakt. Maar ze wil het bewaren, om er haar ouders en Simo mee te verrassen.

'Geheimen zijn er om geheim te blijven', zegt Branko.

Branko komt haar te hulp. Branko, wie anders.

Antun haalt zijn schouders op en begint te fluiten.

'We moeten wel een geheim doel hebben voor onze club', zegt Mathias. 'Bh's stelen van wasdraden bijvoorbeeld.'

Antun en Eldin lachen. Branko niet. Hij weet dat Tinka on-geduldig zit te wachten tot er heuveltjes op haar borst ver-schijnen, aan een half woord heeft hij genoeg. Tinka ziet hem steels naar haar T-shirt kijken, haar oren beginnen te

17

gloeien. Anoka lacht wel mee, je ziet haar beginnende borstjes al prikken.

'Gaan we nu eindelijk spelen?' zegt Branko. 'Anders ga ik liever naar huis.'

'Verstoppertje?' stelt Anoka voor.

Tinka denkt aan gisteren, toen ze Mathias niet konden vinden. Hij had zich in een van de vele doodskisten voor het werkhuis van Nino verscholen, met het deksel erop. 'Ik ben een tijdje dood geweest en ik moest aan één stuk door lachen!' had hij geroepen.

'Verstoppertje?' zegt Eldin. 'Dan moet je te lang stilzitten. Ik weet iets beters. Maar dan moet ik eerst thuis iets gaan halen. Kom mee, Antun.'

Hij woont op het pleintje, in een huis met matrassen voor de ramen.

Als ze terugkomen, zeulen ze een grote mand vol lege maïskolven met zich mee, en een bos kippenveren.

'We gaan naar de vijver in het grote park, naar het eilandje', zegt hij. En hoe Anoka ook zeurt, hij zegt niet wat hij daar van plan is.

Ze hebben onderweg wel wat bekijks, met die mand. Nenad en Burmas sluiten zich nieuwsgierig bij hen aan.

De vijver is niet diep. In het midden ligt een zandig eilandje met wat struiken, een eendenhuisje en een kunstmatige rotspartij.

Tinka trekt haar schoenen en sokken uit en rolt haar broekspijpen op. Als waggeleenden waden ze naar het eiland. Daar pakt Eldin een maïskolf en steekt er kippenveren in. 'Allemaal helpen', zegt hij.

Daarna breekt hij een tak af en trekt een lijn dwars over het eilandje.

'We verdelen ons in twee groepen', zegt hij. 'Mijn groep is het eerst aangespoeld op dit verlaten eiland. En opeens kwam er een tweede groep, na een storm. Ze kregen de helft van het eiland. Maar nu willen ze het hele eiland. Dit zijn onze wapens. Wie geraakt wordt, is dood en moet blijven liggen.'

Tinka zucht. Ze had het kunnen weten. Ze ziet weer hoe Eldin en andere jongens in een verlaten en half verwoeste winkel tussen de lege rekken oorlogje speelden met stokken. Toen ze ermee ophielden, was de puinhoop nog een stuk groter geworden.

'Daar heb ik geen zin in', zegt Branko. 'Ik zal scheidsrechter spelen.' Hij klimt op de rotspartij.

'Vier ogen zien meer dan twee', zegt Tinka, en ze gaat naast hem zitten.

Eldin haalt zijn schouders op. 'Twee groepen van drie, ook goed', zegt hij.

Ze verdelen de maïskolven en stellen zich op.

'Jullie krijgen ons bronwater niet, ellendelingen!' schreeuwt Eldin en de eerste kolf zoeft door de lucht.

Ze duiken weg achter de struiken, springen in de lucht, bukken zich, werpen uit alle kracht. Ook Anoka, ze heeft spieren als een jongen. Ze springt in het rond als een kat die een vlinder probeert te vangen en gilt harder dan de moeder van Antun, die honderdtwintig kilo weegt.

'Jullie krijgen ons schildpaddenvlees niet!' schreeuwt Eldin.

Nenad is de eerste die sneuvelt. Hij sterft mooi: hij tolt om zijn as, valt met gespreide armen languit op de grond en stuiptrekt nog twee keer.

'Wij verdedigen onze grotwoning tot de laatste snik!' De stem van Eldin slaat over, zo opgewonden is hij.

De pluimen vliegen in het rond. Tinka luistert naar het ge-
hijg en de kreten, kijkt naar de snelle bewegingen. Eldin
krijgt een speer tegen zijn arm, maar hij wil niet gaan liggen.
'Het is maar een schampschot!' roept hij.
'Geraakt is geraakt, je bent dood', zegt Branko rustig.
Eldin springt nijdig op en neer. 'Nietes! Ik vecht door met
één arm!'
De logge Nenad komt dreigend overeind. 'Jij niet dood, ik ook
niet dood', zegt hij. Nu breekt het gevecht pas goed los. Ze
gooien van steeds dichterbij, ze trekken er zich niets meer van
aan of ze geraakt worden en zitten al snel vol schrammen en
bulten. Ten slotte beginnen ze naar elkaar te schoppen en krijsend aan elkaars haren te trekken.
Zonder iets te zeggen springt Branko van zijn rots af en hij
wandelt het water in. Tinka gaat hem achterna.
'Dat was het einde van onze geheime club', zegt Branko. Er
klinkt geen spijt in zijn stem.
Bronwater, schildpaddenvlees, grotwoning, denkt Tinka. En
Eldin die zich niet aan de regels houdt. Ze heeft het gevoel
dat ze nu iets meer van de oorlog begrijpt.
Zwijgend lopen ze terug naar huis.
Dat is zo fijn aan Branko, je hoeft niets te zeggen en toch voel
je je bij hem op je gemak.
Ze draaien hun straat in.
'Als er geen club is, hoef ik mijn geheim ook niet te vertel-
len', zegt Tinka.
'Nee', zegt Branko.
Ook dat is zo fijn aan hem, hij wil je nooit uitvragen. Je zegt
iets of je zegt niets.
Nee, ze wil geen club. Ze wil liever in haar eentje rondzwer-

ven. Of hoogstens met Branko.

En op een dag zal ze thuiskomen met bramen.

Misschien houdt ze wel een handvol apart voor Branko.

Foto's die op harten trappen

Een autobus is gezellig als je erin reist. Zoals vorig jaar, met haar ouders en Simo naar nichtje Vanja, bij wie ze een verjaardagstaart aten die op een schildpad leek. Onder het rijden voel je de motor zacht trillen door heel je lijf. Bij een regenbui kun je de grillige loop van de druppels over de ruiten volgen. Buiten glijdt de wereld voorbij, met grijze sliertjes boven schoorstenen en roerloze schapen. Binnen zitten mensen, die je eindeloos kunt bekijken. Mensen die opgewekt babbelen en elke zin met een gebaar onderstrepen. Verliefde mensen met een hand op elkaars dij. En mensen die op een eiland zitten en voor zich uit staren. In elke bus reizen meer verhalen dan je kunt bedenken. Maar een autobus heeft maar één verhaal als hij stilstaat, met gesloopte banden, een gat in het dak, kapotte ruiten en half vernielde zitbanken. Daarover zit Tinka na te denken, terwijl Branko achter het grote stuur van de bus zit en doet alsof hij eraan draait.

'Waar moet ik mevrouw afzetten?' roept hij.

'Bij het theater graag', roept Tinka terug. 'Mijn man speelt vanavond de hoofdrol.'

Ze kijkt naar de fietsers. Sinds er haast geen benzine meer te krijgen is, duiken overal in de stad fietsen op. Ook heel roestige, die jarenlang in een stalletje hadden gestaan en kraakten en piepten. Veel fietsers hebben kleurrijke linten door de spaken geweven om de oorlog te treiteren.

'Is het een mooi toneelstuk?' roept Branko.

'Ja hoor, hij sterft op het eind en laat een vrouw met een gebroken hart achter.'

Tinka's ogen dwalen over de lange muur aan de overkant van de straat. Hij verbergt een verwoest gebouw. Studenten van de universiteit hebben hem tot de laatste steen versierd met een reusachtige muurschildering, die maar voortkruipt en uitwaaiert en golft als iets dat leeft en ademt. Hoe vaak hebben zij en Branko voor die muur gestaan en elke keer iets nieuws ontdekt? Is dat een vliegtuig met veren of een vogel met een lijf van staal? Is dat een rivier vol gouden glinsteringen of een eindeloze rij koperen kogels? Soms ziet Branko dezelfde dingen als zij, soms niet, en dat maakt het spannend.

'Ik zal u straks na de voorstelling met de bus opwachten, mevrouw', roept Branko. 'Het is een heel eind te voet, zeker met een gebroken hart.'

'Dank u wel, meneer, u bent bijzonder vriendelijk.'

Tinka ziet een stukje van de muurschildering bewegen. Een man in soldatenuniform. Hij draagt een camera aan een leren riempje op zijn borst en kijkt naar de bus. Langzaam brengt hij de camera naar zijn oog.

'Een soldaat neemt een foto van ons', zegt Tinka. 'Daar, ongeveer in het midden van de muur.'

Branko kijkt en wil achter het stuur vandaan komen.

'Nee, blijf nog even zitten!' roept de soldaat.

Hij drukt af, gaat op zijn hurken zitten, drukt nog eens af. Dan komt hij naar de autobus en stapt in.

Branko gaat naast Tinka zitten. De soldaat wandelt zwijgend de gang op en neer, zijn zware schoenen knerpen over splinters glas. Door het gat in het dak tuurt hij naar de hemel. Hij is nog jong, met een diepe groef tussen zijn ogen. Alsof al zijn gedachten daar bij elkaar zijn gekropen en niet meer weten waar ze naartoe moeten.

Eindelijk laat hij zich op een zitplaats vlak bij Tinka en Branko zakken.

'Ze móeten het te weten komen', zegt hij. 'Ze mogen hun ogen niet sluiten.'

'Wie?' vraagt Branko.

'De hele wereld. De hele wereld moet het weten.'

'Wat weten?' vraagt Tinka.

'Wat er in ons land gebeurt. De schande.'

Hij strijkt met een hand over zijn ogen, hij ziet er moe uit.

'Foto's zijn machtiger dan geweren', zegt hij. 'Ze liegen niet en kunnen op het hart van de mensen trappen. Ik stuur ze naar een krant in het buitenland.'

'Welk land?' vraagt Branko.

'Zweden.'

Branko knikt. 'Noord-Europa, koude winters, rendieren, gletsjers', zegt hij.

Branko weet bijna alles, denkt Tinka. Later wordt hij vast schoolmeester. Dan hangen alle meisjes in de klas aan zijn lippen.

Twee grote vrachtwagens met de vlag van de Rode Halve Maan rijden rakelings langs de bus, Tinka voelt een windstoot door het gat van het raam. Ze kijkt weer naar de soldaat.

Hij heeft het fototoestel op zijn schoot gelegd en streelt het.

'Ik draag hem altijd bij me', zegt hij. 'Zelfs in een gevecht. De kapitein foetert me soms uit, maar ik trek het me niet aan. Je weet nooit op welk moment...'

Hij zwijgt en staart voor zich uit.

Welke foto ziet hij nu voor zijn ogen, vraagt Tinka zich af.

'Vorige week, in een dorp op twintig kilometer van hier...'
zegt hij. 'Er viel een granaat midden in een groep mensen
voor een winkel. Verschrikkelijk. En opeens zag ik een hond
weglopen, met een afgerukte hand in zijn muil. Ik heb het op
de foto.'
Tinka slikt en kijkt steels naar Branko. Branko veegt met
zijn voet over de vloer, heen en weer. 'Maak je echt van álles
foto's?' vraagt hij, met neergeslagen ogen.
'Alles', zegt de soldaat. 'Het wrede gezicht van een burgeroorlog, met alle puisten erbij.'
Hij knikt, blijft maar knikken, zucht. 'Of nee, ik zou liegen,
een keer... vorige week dus, in dat dorp... In mijn peloton zat
een jongen van nauwelijks achttien, Iljas. Een toffe kerel, we
hebben samen wat afgelachen. Hij sleepte overal een witte
kat met een gebroken poot met zich mee, die hij onder een
hoop puin vandaan had gehaald. Hij leerde me liedjes uit
zijn streek en ik leerde hem fotograferen. Toen de vijand het
dorp bestormde... we hebben ze op hun donder gegeven, ze
kwamen er niet in. Maar na het gevecht miste ik Iljas. Pas na
een tijdje vond ik hem, samen met onze korporaal. De korporaal zat op de grond en op zijn schoot lag Iljas, vol bloed,
dood. De hele oorlog in één beeld. Ik pakte mijn fototoestel
en tuurde door de zoeker. Maar mijn vinger wilde niet. Hoe
ik ook probeerde, hij wilde niet.'
De soldaat zwijgt. Een lichtblauwe politieauto zoeft voorbij.
'Kennen jullie die kerk van de katholieken hier in de stad?'
vraagt de soldaat. 'Er hangt een schilderij. Van een vrouw
die haar dode zoon op haar schoot houdt. Daar moest ik dagenlang aan denken.'
Hij hangt het fototoestel weer om zijn hals. 'Ik heb eraan ge-

dacht deze camera in zijn graf te leggen. Maar er zijn nog veel foto's nodig. De hele wereld moet het weten. Iljas zou het zo gewild hebben.'

Branko knikt. Tinka knikt. Waar zou de witte kat nu zijn?

'Paw! Paw!' klinkt het opeens luid achter hun rug. Ze kijken om. Eldin is naar binnen geslopen. Hij ligt languit onder de zitbanken, met een stok in zijn handen. 'Paw! Paw!' Zijn gekromde wijsvinger maakt een trekkende beweging.

De soldaat springt overeind.

'Je bent dood, ik was een sluipschutter!' roept Eldin.

De soldaat sleept hem ruw onder de banken vandaan.

'Het was maar om te spelen!' schreeuwt Eldin.

'Spel?' snauwt de soldaat. 'Spel?' Hij sleurt de spartelende Eldin naar de deur en gooit hem de straat op.

'Soldaatje van niks!' schreeuwt Eldin. Hij krabbelt overeind en holt weg.

De soldaat kijkt naar Tinka en Branko. Ze zien hem nadenken.

'Jullie zijn nog kinderen', zegt hij. 'Ik had jullie er niet mee mogen lastigvallen.' Hij lijkt wel verlegen.

Hij mompelt nog iets onverstaanbaars en springt dan naar buiten.

Tinka en Branko kijken hem na.

'Foto's schieten in plaats van kogels schieten, grappig', zegt Branko met een glimlach, maar zijn mond trekt scheef. 'Nee, níet grappig, het is...' Hij schudt weifelend met zijn hoofd.

Dit is de eerste keer dat Branko het juiste woord niet vindt, denkt Tinka.

Ze trekt haar schouders naar achteren, er moet meer lucht in haar borstkas. Zou Branko mee willen naar de kerk van de katholieken, om naar dat schilderij te gaan kijken?

Paardebloemen en beren

Soms is er geld en soms niet.

En soms komt Tinka's vader thuis met iets onverwachts.

Met een grote leverworst bijvoorbeeld, omdat hij bij een slager een rek heeft getimmerd. Triomfantelijk legt hij de worst midden op de tafel. Hij duwt de randen van het inpakpapier omlaag, zodat de worst daar in alle glorie ligt te glimmen. Dan gaat Tinka's moeder op een stoel zitten en ze staart er wel vijf minuten lang naar, met pretrimpeltjes rond haar ogen. Van die pretrimpeltjes geniet Tinka haast nog meer dan van het plakje worst dat ze mag proeven.

Soms komt haar vader thuis met wat eieren, omdat hij een winkeldeur heeft hersteld die door dieven is ingetrapt. Hij laat een ei over de tafel rollen, tot het over de rand valt en haar moeder een gilletje slaakt. Maar haar vader vangt het natuurlijk op in zijn grote handen. Daarna klutst haar moeder de eieren, en Tinka luistert naar het gerikketik van de eierklopper tegen de rand van de kom. Met meel en melk erbij vullen de eieren een hele koekenpan, en ze gaan er allemaal met hun neus boven hangen. Ze smeren de eierkoek dik op hun boterhammen en eten ze langzaam, heel langzaam op. En ze lachen, omdat Simo's gezicht vol klodders eierkoek hangt.

Maar vaak komt haar vader zonder iets naar huis. Zonder geld en zonder verrassing. Als er in het tuintje dan toevallig niets rijp is, wordt het droge kost uit de voedselpakketten. Tinka heeft haar vader nooit zo hard horen vloeken als toen de radio meldde dat de vijand een groot voedselkonvooi net buiten de stad had tegengehouden. Hij was meteen met de haardroger naar de markt gegaan en kwam met een zakje rijst terug. 'Je moet verdomme minstens een gouden ring geven om meer te krijgen!' had hij boos geroepen.

Soms lenen ze wat eten bij de buren, tot die ook niets meer hebben.

Vandaar dat haar moeder wel eens op vreemde ideeën komt. 'Ga je wat paardebloemen zoeken?' zei ze vanmiddag tegen Tinka. 'Ik heb gehoord dat de blaadjes ervan in de soep kunnen en dat je van de wortels koekjes kunt maken.'

Daarom loopt Tinka nu de straat op met een emmer en een schepje.

Ze klopt bij Branko aan, misschien weet hij waar ze paardebloemen kan vinden.

'Paardebloemen?' zegt hij. Hij krabt in zijn haar. 'Bij de natte weg natuurlijk, maar...'

Tinka glimlacht. Verleden zomer noemde Branko de rivier die door de stad loopt voor het eerst 'de natte weg'. In de zomer is hij ondiep. Waar de stad plotseling ophoudt en de oevers geen stenen wallenkant meer hebben, kun je hem gemakkelijk te voet oversteken. De 'natte weg' gaat naar de mooiste heuvel. Ze heeft er vaak met Branko gespeeld. Op de paar strookjes oevergras plukten ze paardebloemen om er gele kroontjes mee te vlechten. Ze spetterden elkaar nat en zaten elkaar gillend achterna, soms tot onder de eerste brug. Daar bleven ze dan staan om de brug te voelen trillen onder de vrachtwagens. Maar nu zit de vijand te dichtbij.

'Misschien in het parkje achter het postkantoor', zegt Branko. 'Weinig bomen en veel gras. Ik ga mee.'

Ze lopen de straat af.

In de verte horen ze een sirene. 'Ambulance', zegt Branko zonder aarzeling. Geen brandweer, geen politie, geen algemeen alarm. Elk geluid heeft een eigen gezicht gekregen.

Ze komen voorbij een moskee. 'De minaret heeft ogen gekregen', zegt Branko. Hij wijst naar de gaten van granaatscherven. In gedachten ziet Tinka de minaret over de heuvels kijken, naar een stuk land waar het rustig is, waar...

'Die bruggen', zegt Branko. 'Nu zijn er zelfs niet genoeg voor alle daklozen 's nachts.'

Ik ben nog bij de minaret en hij is alweer bij de bruggen en toch lopen we naast elkaar, denkt Tinka. Je weet nooit waar Branko is als hij bij je is.

Als ze een hoek omslaan, zien ze Antun en Eldin op hun buik bij een granaatkuil vol regenwater liggen. Met stukken hout en touw hebben ze twee kleine vlotten gemaakt en ze voeren een zeegevecht, met veel opspattend water.

Eldin kijkt op. 'Waarom komen jullie niet meer met ons spelen?' vraagt hij.

Om je stomme spelletjes, denkt Tinka.

'We hebben andere dingen te doen', zegt Branko.

Eldin kijkt naar de emmer en het schepje van Tinka. 'In de zandbak spelen zeker', grinnikt hij.

Branko trekt Tinka aan haar arm mee.

'Ten aanval!' gilt Eldin achter hun rug en Tinka krijgt een plens water op haar jurk.

Branko loopt terug. 'Nog één keer, en ik duw je kop onder water', zegt hij. Heel rustig. Branko maakt zich nooit druk. Bij hem ben je veilig. Tinka schuurt nu en dan met haar schouder tegen zijn schouder terwijl ze verderlopen. Heel lichtjes, maar toch.

Bij het postkantoor slaan ze een paadje in. Als ze het park naderen, horen ze opgewonden stemmen. Bij een paar hoge bomen staat een groepje mensen. Ze staren naar de kruinen, wijzen, stoten elkaar aan.

'Daar! Zie je?'

'Het zijn er twee!'

'Kijk, daar rent er eentje over een tak!'

'Waar is de andere? Zie jij de andere?'

'Zijn dat chimpansees?'

Branko en Tinka zien een plotse werveling van harige armen en poten.

Anoka duikt bij hen op. 'Ze zijn uit de dierentuin gevlucht', zegt ze. 'Vannacht zijn de kooien door granaten vernield.'

Plotseling slingeren de apen zich naar beneden. Luid krijsend rennen ze over het grasveld weg en ze verdwijnen in de aangrenzende tuinen.

Tinka staat ze beduusd na te kijken.

'Hier zijn geen paardebloemen', hoort ze Branko zeggen.

'De oppasser heeft de beren moeten doodschieten!' Dat is de stem van Anoka. De beren waren de laatste grote roofdieren, ze konden nog teren op hun vet. De leeuwen, wolven en tijgers waren al eerder doodgegaan van de honger, omdat er geen vlees meer voor ze was.

'Vanop ons balkon kun je alles goed zien, komen jullie mee?' zegt Anoka.

Ze volgen haar naar haar woning, vlak bij de dierentuin.

Anoka draagt een sleutel aan een koordje om haar hals.

Vanop het achterbalkon op de eerste verdieping kijken ze neer op de verwoesting. Het lijkt wel of er een bulldozer in het dierentuintje tekeer is gegaan. De kooien van de wilde dieren zijn van hun voetstuk geblazen en in een wirwar van verwrongen tralies veranderd. Het toegangshek ligt omver. Een ezel loopt vrij rond op het omgewoelde terrein. Het hoofdgebouw is een puinhoop van stenen en geblakerde stompen van balken. In een groot muurgat zit een goudfazant.

Alsof hij op de foto wil, denkt Tinka.

'Daar', wijst Anoka. 'Die donkere vlek, naast de afgebrande stal. Een dood paard. Zal ik een cola halen?' Ze loopt naar beneden.

Haar ouders hebben zeker allebei nog een baan, denkt Tinka. Ze blijft naar de dierentuin staren.

'Paardebloemen', zegt Branko.

'Wat zeg je?'

'Paardebloemen.' Hij wijst. 'In de wei, waar die twee pony's lopen.'

Tinka knijpt haar ogen tot spleetjes en ziet de gele stippen nu ook.

'We mogen er vast niet in', zegt ze. 'Zeker nu niet.'

Maar zodra ze weer buiten zijn, zegt Branko: 'Paardebloemsoep. Het woord alleen al smaakt lekker. Kom mee.' Hij loopt om het flatgebouw heen, recht naar de dierentuin.

'Vandaag geen bezoek', zegt de oppasser.

Hij heeft gehuild, denkt Tinka.

'Jaren werk', zucht de oppasser. 'En op één nacht...' Zijn adamsappel gaat op en neer.

'De twee chimpansees spelen tikkertje in de buurt van het postkantoor', zegt Branko en het gezicht van de oppasser klaart op.

'Ik ga er meteen achteraan', zegt hij.

'Mogen we naar de wei?' vraagt Branko.

De oppasser knikt. 'Ga de pony's maar aaien, ze kunnen het gebruiken.'

Tinka staart hem na, tot Branko haar meetrekt.

'We gaan níet kijken waar de beren en de tijger liggen', zegt Tinka en Branko verandert van richting.

Ze klimmen over het hek van de wei. Tinka begint meteen een paardebloem uit te steken. Het gaat moeilijk, de wortels zitten diep. Telkens als ze een paardebloem in de emmer gooit, laat ze een putje achter. Ze heeft het gevoel dat ze de verwoesting om haar heen nog groter maakt en gaat even zitten.

'Laat mij maar even', zegt Branko. Hij neemt het schopje uit haar handen.

'Je moet ze met wortel en al uitsteken', zegt Tinka.

Branko begint te wroeten, hij is er een stuk handiger in.

'De blaadjes zijn voor de soep', zegt hij. 'Maar de wortels?'

'Voor koekjes', zegt Tinka.

Ze kijkt naar de lichtbruine pony's. Hun manen zijn niet gekamd. Eentje heeft schaafwonden, er zitten vliegen op.

'Heel vieze koekjes', zegt ze stil.

Branko kijkt haar even nadenkend aan. Dan knikt hij haast onmerkbaar en werkt door.

Een zucht die verdwaalt

Mijn moeder is een heldin, denkt Tinka.

Ze bladert in een oud tijdschrift en kijkt af en toe naar haar moeder, aan de andere kant van de keukentafel. Haar hoofd rust op haar vuisten. Een paar sliertjes haar zijn losgekomen uit de knot en hangen langs haar oor.

Haar gezicht is veranderd, denkt Tinka. Haar blik nog het meest.

Tinka slaat een blad om. Weer een feestelijke schotel eten, in mooie kleuren. Langzaam leest ze het lijstje van wat erop uitgestald ligt, en hoe je alles moet klaarmaken. Ze proeft de woorden op haar tong. Als die man er daarstraks niet was geweest, zou ze de woorden hardop lezen en zo de smaak ervan verdubbelen.

Ze denkt terug aan vanmiddag, toen ze met haar moeder naar de winkel van meneer Matos ging. Een eindje uit de buurt, maar het is de enige winkel waar ze als het nodig is nog iets op rekening kunnen kopen, omdat Matos en papa vroeger schoolvrienden waren.

Tinka weet nog precies wat haar onderweg opviel. Dikke kabels die uit de lucht hingen, van de kapotte bovenleidingen van de trams. Een paar mensen bij een muurkrant. Een man die dronken uit een café kwam. ('De oorlog is voor iedereen anders', zei haar moeder). Een kleine witte pantserwagen met de letters UN op de flank en een soldaat met een duikbril en grote gele handschoenen. Een huis zonder voorgevel, met kleine struiken in de kamers en kapotte huisraad op een hoop puin. ('Het onkruid wint het van de meubels', zei haar moeder). Wasgoed aan een draad. Vluchtelingen die ooit naar hier waren gekomen en nu weer in de val zaten en bedelden op de hoeken van de straten. Een opgeruimde puinplek die omgevormd was tot een bloembed. ('Goed zo', zei haar moeder). En toen kwamen ze voorbij een restaurant.

Er zat een man op het terrasje te eten, gebogen over twee grote schotels. Die schotels leken zo weggevlogen uit de oude tijdschriften van haar moeder. ('Er zijn mensen die rijk worden van de ellende van anderen', siste haar moeder). Tinka bleef staan en volgde de beweging van de vork naar de mond. Sperziebonen, met de glans van gesmolten boter. De man keek op. Hij had kleine oogjes. Hij veegde even met zijn servet over zijn lippen en bleef Tinka aankijken. ('Tinka, loop door', zei haar moeder). Maar Tinka's benen wilden niet bewegen, haar ogen waren vastgeklonken aan de schotels. En toen aan het gezicht van de man. Hij leek te glimlachen, of was het een grijns? Hij legde zijn vork neer. Hij nam een schijfje tomaat van een schotel en liet het even tussen zijn vingers wiebelen. Toen wierp hij het voor de voeten van Tinka in het stof. Tinka stond er roerloos naar te staren, en opeens zag ze de schaduw van haar moeder langs haar heen rennen. Haar moeder, die het terrasje opstormde, recht naar de man toe, met beide handen het tafelblad vastgreep en de tafel omkieperde. De schotels vlogen tegen de man aan en kletterden toen aan diggelen op de terrastegels. Vloekend sprong de man overeind. En opeens lag er een revolver in zijn hand, een trillende revolver die recht naar de vlammende ogen van haar moeder wees. Tinka wilde schreeuwen, maar haar keel zat dicht en haar lichaam wilde nog altijd niet bewegen. Haar moeder dook niet weg, haar ogen bleven vlammen. De kelner kwam het terras opgerend. Hij trok de arm van de man opzij, de arm met de revolver, en begon heftig op de man in te praten. Hij duwde hem neer op zijn stoel en begon zijn besmeurde vest af te vegen. Toen pas draaide haar moeder zich om. Met een ruk trok ze Tinka aan haar arm mee. Haar hand trilde niet eens. ('Smerige oorlogsprofiteur', zei ze).

Weer een nieuw woord waarvan Tinka de betekenis aan Branko zou moeten vragen.

Van meneer Matos kregen ze niet meer dan een pakje rijst, de rekening liep al érg hoog op.

Ze keerden terug langs een andere weg. ('Straks niets tegen papa vertellen, hoor je?').

Dat begreep Tinka niet. Waarom mocht papa niet weten dat ze een echte heldin is?

Toen begon haar moeder te vertellen over haar vriendin, alsof er niets was gebeurd. Haar vriendin had een dure ring geruild tegen een paar rollen behangpapier met blauwe bloempjes. Ze wilde haar woonkamer een fris kleurtje geven. ('Fantastisch toch, vind je niet? Je mag niet toelaten dat de oorlog je eronder krijgt, begrijp je?').

En zo had Tinka weer iets om vanavond in bed over na te denken.

Haar moeder vertelde over een flatgebouw dat voor de helft was verwoest, maar een baby was levend onder het puin vandaan gehaald. De hele terugweg lang bleef ze babbelen, alsof er in haar borst een autoband zat die moest leeglopen. Maar zodra ze thuis waren, ging ze aan de keukentafel zitten en zweeg.

Tinka kijkt weer naar haar. Haar gezicht staat hard, zonder een spoor van angst.

Tinka denkt na over angst. Ze heeft veel angst gehad, vooral in het begin, als na uren kalmte de beschietingen toch weer begonnen en ze naar huis moest rennen, met bonkend hart. En 's nachts als het huis trilde. Angst die zo aan haar zoog dat ze het gevoel kreeg uitgehold te worden vanbinnen. Dat haar benen zwaar begonnen te worden, al lag ze in bed. Op de duur wende het een beetje, een oorlog maakte je gewoon aan dingen waar je anders om ging gillen. Ze zag het ook bij anderen gebeuren, hoe de angst na een tijdje niet meer op hun gezichten te lezen stond. De angst had zich naar binnen gevreten en lag daar op de loer om onverwacht zijn slag te slaan. Zoals bij de moeder van Branko, die op een dag krijsend door de straat was geheld zonder dat er iets was gebeurd en sindsdien kalmeerpillen moest slikken. Mijn moeder niet, nee, ze is sterk, al heeft ze in korte tijd dunne strepen grijs haar gekregen. Maar misschien ligt diep in haar ook de angst op de loer, zou dat kunnen?

En opeens begrijpt Tinka waarom zijzelf nooit haar angst heeft willen laten zien aan haar moeder. Misschien zou er dan bij haar moeder iets breken en zou ze overspoeld worden en krijsend de straat op lopen.

En daarom moet ik altijd zo sterk zijn als mijn moeder, mijn moeder die een heldin is, denkt Tinka.

Ze kijkt op omdat ze een zacht geluid hoort.

Haar moeder heeft haar vuisten onder haar kin vandaan gehaald en wrijft nadenkend over haar voorhoofd.

'Ze hebben ons geleerd te haten', zegt ze, tegen niemand, en ze zucht. Tinka hoort de pijn in haar stem.

Haten. Tinka heeft een hekel aan donkere woorden die ze niet goed begrijpt.

Ze legt het tijdschrift weg en kruipt bij haar moeder op schoot.

Ze hoort weer een zucht, ze voelt hem even in haar haar, als een zacht briesje.

'Ik vang al je zuchten op in mijn haar', zegt ze. 'En daar verdwalen ze, voor goed.'

Ze voelt aan de borst van haar moeder dat ze even onhoorbaar lacht.

Tinka doet haar ogen dicht, maar de revolver wil niet verdwijnen. Ze plakt een schijfje tomaat tegen de vuurmond en glimlacht.

Een kogel met een naam

Hij leeft nog.

En de oorlog heeft hem niet kunnen veranderen.

Tinka kijkt naar oom Laza en herkent alles. Hoe hij zijn duim opsteekt terwijl hij naar haar knipoogt. Hoe hij zijn hand soms even op de knie van haar moeder – 'Mijn favoriete zus!' – legt. Hoe zijn ogen rollen als hij zich over iets verbaast en rimpeltjes over zijn gezicht uitwaaieren als hij lacht.

Opeens stond hij voor de deur, in zijn mooie uniform van een luitenant, met een plastic zakje vol paprika's in zijn hand.

'Waarom hebben we al die maanden niets meer van je gehoord?' vroeg Tinka's moeder.

'De oorlog slorpt me op, ik heb zelfs geen tijd meer om de meiden te versieren!' antwoordde hij.

'Een hartenbreker', had Tinka haar moeder ooit over haar ongetrouwde broer horen zeggen. Een mooi woord, hartenbreker.

Tinka zit op een kussen, met haar rug tegen de muur, en luistert naar oom Laza's herinneringen aan vroeger. Dat haar moeder ooit een kind is geweest – 'Jij en onze vader, dat gaf vonken!' – kan ze zich moeilijk voorstellen. Tinka geniet van de verhalen, al weet ze dat de oorlog elk moment kan opduiken; de oorlog dringt in alles door, in gesprekken, in de straten, in je hoofd. En ja hoor, haar vader, haar altijd ernstige vader vertelt hoe moeilijk het is om wat geld bijeen te schrapen en haar moeder hoe moeilijk ze aan eten en dagelijkse dingen kan komen. Oom Laza knikt en knikt. Dan begint Tinka's vader het verhaal te vertellen dat iedereen in de stad kent. Het verhaal van Nadia die van haar moeder maandenlang niet buiten mocht, zo bang was die moeder. Op een kalme dag mocht Nadia na veel gezeur dan toch voor even naar buiten. Maar zodra ze nauwelijks op straat was, raakte een verdwaalde kogel haar in de rug.

'Ja ja, als er ergens een kogel is met jouw naam erop, dan krijg je hem, hoe je je ook verbergt', zegt Tinka's vader.

Oom Laza begint al aan een volgend sterk verhaal, maar Tinka wil het niet meer horen. Ze stopt haar vingers in haar oren en begint zacht te zoemen, dan kunnen de woorden niet naar binnen. Even later staat ze op. 'Twintig kilo, echt waar, twintig kilo weegt zo'n kogelvrij vest', hoort ze oom Laza nog zeggen en weg is ze, het achtertuintje in.

Ze loopt naar het stalletje en kijkt naar de bloemen in de pot op de vensterbank. Ze heeft een paar bloembollen bewaard toen de tuin tot in zijn uithoeken werd omgespit voor groenten. Nu bloeien ze, rood en wit, maar er willen nog altijd geen bijen op afkomen. Bijen die nectar kunnen opzuigen omdat zij, Tinka, een paar bloemen heeft gered.

Ze loopt de stal binnen en vanachter wat rommel haalt ze haar laatste schat tevoorschijn: een trouwfoto, die zij en Branko in een puinhoop hebben gevonden toen ze schatgraver speelden. Er zit nog één splinter glas in het donkerbruine kader. Een hoek van de foto heeft losgelaten en krult om. Dwars door het haar van de man loopt een scheur. Er staat geen datum op de achterkant. Misschien zijn die twee mensen nu al oud en vloeken ze op de oorlog, die hen niet rustig laat sterven.

Tinka heeft de foto nooit aan haar ouders laten zien. Hoe langer de oorlog duurt, hoe meer ze een heel klein verborgen plekje wil met een paar spulletjes waar niemand iets van afweet. Behalve Branko dan. Telkens als hij komt spelen, zitten ze hier naar de foto te kijken en te fantaseren. Hoe die twee mensen elkaar hebben leren kennen. Waar ze elkaar hun eerste kus hebben gegeven. Hoe ze als kinderen waren. En hoe het verder met hen ging nadat ze waren getrouwd. Zeker al tien verschillende levens hebben ze gekregen. Als je je prettig voelt, worden hun levens heel anders dan als je je droevig voelt.

Tinka probeert een nieuw leven uit voor de man met de glimlach en de vrouw met de prachtige bloementuil, maar het wil niet lukken. Misschien omdat Branko er niet bij is. Of misschien omdat ze zich tegelijk afvraagt of er een kogel bestaat met TINKA erin gegrift. Ze is boos op haar vader omdat hij soms zulke stomme dingen zegt, die ze niet meer uit haar hoofd krijgt.

Ze gaat de stal uit en eindelijk is er een bij. Hij zoemt, zoals zijzelf zonet binnen, maar dan mooier. Driftig vliegt hij van het ene bloemkelkje naar het andere, alsof hij niet vindt wat hij zoekt.

Hij is wat laat, de bloemen beginnen al te verwelken, denkt Tinka. Niet alleen de zomer is voorbij, de vakantie ook. In de schuilkelder geniet ze nog het meest van de lessen geschiedenis. De meester kan zo mooi vertellen en dan dwaalt ze in andere werelden rond.

Langzaam loopt ze naar binnen.

Gelukkig wordt er niet meer over de oorlog gepraat. Haar moeder staat in een pan met rijst te roeren. Haar vader snijdt de paprika's van oom Laza in kleine reepjes en op de tafel staan drie glaasjes en de fles wodka die haar vader wilde bewaren tot na de oorlog. Ze nippen eraan en brommen goedkeurend na elk slokje. Het is de eerste keer dat Tinka haar moeder wodka ziet drinken. 'Proef eens', zegt ze tegen Tinka. Tinka maakt alleen haar lippen nat en vindt het vies.

Ze rekken het eten en de verhalen over vroeger vliegen weer over en weer. De hele familie komt tot leven, ook nichtjes en achterneefjes die Tinka nooit heeft gezien.

Als het donker wordt, probeert haar moeder het licht en gelukkig is er vandaag elektriciteit.

'Dan kunnen we eindelijk nog eens naar de TV kijken, het nieuws is net bezig', zegt Tinka's vader.

De stoelen worden verschoven en de glaasjes nog eens gevuld. Maar het eerste wat ze te zien krijgen, zijn beelden over oorlogsellende in Afrika. Zonder iets te zeggen zapt haar vader naar een ander kanaal, naar een zwart-wit filmpje uit de oude doos. In een hut brengt een zwerver wat water aan de kook. Hij gooit er de veters van zijn te grote schoenen in en eet ze als spaghettislierten. Tinka moet lachen. Niet meer zoals vroeger, toen ze kon schateren, maar toch. Ze werpt een blik op haar moeder, want haar moeder is zo mooi als ze glimlacht. Maar ze zit met tranen in haar ogen naar het gedoe te kijken. Ze denkt vast al aan morgen en overmorgen.

Oom Laza heeft het ook gezien en hij streelt even over haar rug.

Met een flits verdwijnt het beeld en ook het licht valt uit.

'Ze zijn wel érg zuinig vandaag', zegt Tinka's vader en haar moeder steekt het olielampje aan. Tinka heeft leren houden van het gelige licht van een olielamp. Ze staart graag heel lang in het bibberende vlammetje, tot haar hoofd helemaal leeggelopen is.

Ze gaan weer rond de tafel zitten, met de oorlog midden tussen hen in.

Simo wordt wakker en begint meteen te jengelen. Tinka haalt hem uit zijn bedje en speelt hop paardje hop met hem en daarna doen ze dieren na. Hoe doet het schaap? Mèèèè. Hoe doet de haan? Kukelekuuu! Hij kent er al minstens tien. 'Hoe doet het Vietnamese hangbuikzwijn?' roept oom Laza, en zelfs Tinka's vader moet lachen als hij de grote verwonderde ogen van Simo ziet. 'Hoe doet het varken?' vertaalt Tinka en Simo knort tot hij ervan moet hoesten.

Even later staat oom Laza op. 'Ik moet om tien uur binnen zijn', zegt hij. 'Als luitenant moet ik het goede voorbeeld geven. Zonder tucht halen we het nooit.'

'Nog vlug eentje?' vraagt Tinka's vader, terwijl hij naar de wodkafles wijst. Maar oom Laza schroeft de dop erop. 'Er komen nog grotere feestmomenten dan het bezoek van een oude vrijgezel', zegt hij met een glimlach.

Hij omarmt zijn zus en zijn schoonbroer. Tinka krijgt drie klapzoenen op haar wangen en Simo een aai door zijn krullen. Dan schraapt oom Laza zijn keel, alsof hij nog iets wil zeggen. Maar hij schudt zijn hoofd, tast in een binnenzak en haalt er een paar bankbiljetten uit. Tinka's ouders willen ze niet aannemen, maar hij schuift ze onder het tafelkleed en loopt meteen de gang in. Tinka gaat hem achterna.

'Oom Laza, ken jij een soldaat die foto's neemt van de oorlog?' vraagt ze.

'Ik heb hem nog nooit ontmoet, maar wel al van hem gehoord', knikt oom Laza. 'Hij is langzamerhand een beroemdheid aan het worden.'

'Hij heeft een foto van mij en Branko genomen, in een kapotte bus', zegt Tinka trots.

'Dan kom je misschien in een of andere krant. Branko, zei je? Ben je niet nog wat jong voor een vriendje?' Hij lacht en knijpt in haar neus. En dan is hij weg.

Tinka gaat de keuken weer in. Ze ziet het vlammetje van de olielamp wiebelen, hoort het schrapen van de houten spaan in de rijstpan en de pruttelgeluidjes van Simo, denkt aan de rimpeltjes van oom Laza en aan de foto, en voor even is alles weer goed.

Met gespreide vleugels

Tinka moet wel kijken, of ze wil of niet. Alles wat ze ziet bergt ze op in geheime vakjes in haar hoofd. Voor later, als de oorlog voorbij is. Ze weet niet wat ze dan met al die beelden zal doen. Nu en dan ontsnapt er een. Zoals vorige nacht, toen het beeld van de vrouw met de dakpannen in een hoek van haar kamer bleef zweven, hoe hard ze ook haar ogen dichtkneep.

Bij het station was vorige week een zware granaat ingeslagen. Een huis was in elkaar gezakt en de puinhoop was bedekt met dakpannen. Uit het puin stak het bovenlichaam van een jonge vrouw. Steeds opnieuw greep ze een pan, sloeg hem in stukken en slingerde de brokken naar de mensen die haar uit het puin wilden bevrijden, terwijl ze hysterisch bleef gillen. Haar stem was zo scherp als de scherven van de dakpannen.

Tinka slaat een hoek om en hoort slepende klanken. Op de drempel van een huis zit een jongen te spelen, met zijn wang op een accordeon. Voor hem danst een oude man de tango met een bezem. Ze zijn bijna even dun, de bezem en hij. Hij drukt de steel tegen zijn gezicht en danst met gesloten ogen en wankele benen.

Tinka blijft staan kijken tot de muziek ophoudt en de oude man naast de jongen gaat zitten. Hij legt zijn arm om zijn schouders. 'Die tango's van Gardel zijn de mooiste ter wereld, Manco', zegt hij. 'Ze doen je alles vergeten. Alles, behalve de liefde.'

Ze knikken als Tinka voorbijloopt.

Ze zet de kraag van haar jasje op. Het is een koude herfstdag met een waterig zonnetje.

Als ze de straat naar het verlaten schoolgebouw inslaat, ziet ze een graatmagere man uit een vervallen huis komen. In zijn hand draagt hij een windbuks.

Tinka herkent Garka, de straatzanger. Iedereen kent hem, van toen hij nog de markten afliep en liedjes zong over het leven en de liefde. Maar sinds de angst de straten en markt-pleinen heeft verdoofd, loopt hij er een beetje verloren bij. Niemand heeft nog zin om naar hem te luisteren, iedereen hoort vanbinnen hetzelfde sombere lied. Soms zie je hem in zijn eentje op straat een paar danspasjes maken, zonder zijn gitaar. Dat begrijpt Tinka. Ook zij hipt soms als een vogel door het huis, als alles te zwaar op haar drukt, de mensen, de oorlog, de nacht.

Garka komt naast haar lopen.

'Aan de wandel, meisje?'

Tinka knikt. Ze kijkt naar de windbuks in zijn hand.

'Je vraagt je af wat ik van plan ben, hè?' zegt hij. 'Nou, kom maar mee. Beleef je nog eens wat vandaag.'

Tinka kijkt schuin naar hem op. Hij heeft grote neusgaten. Zijn baard is een bundel onverzorgde slierten. Hij lijkt wel een vogelverschrikker. Maar geen enkel kind is bang voor Garka. Wie zingt om de mensen te plezieren, kan niemand kwaad doen.

Soms moet Tinka hem met een paar huppelpasjes bijbenen. Garka begint te neuriën, maar houdt er meteen weer mee op en tuurt naar de eindeloze, grijsblauwe lucht.

'De aarde zeilt weer door de leegte', mompelt hij. Tinka hoort dat hij niet tegen háár praat. Het hindert haar niet, ze zegt vaak zelf dingen die voor niemand bedoeld zijn.

Garka loopt om de school heen, naar de achterkant. Daar gaat hij naast de weg op een hoop stenen zitten. Hij legt de buks naast zich neer en wijst naar de lage muur rondom de speelplaats.

'Daar zullen ze komen', zegt hij.

Tinka vraagt niet wie hij bedoelt. De oorlog heeft haar geleerd geduld te hebben en te kijken. Haar ogen zijn een fototoestel geworden.

Door een rafelig gat in zijn broek krabt Garka aan zijn knie.

'Waarom zit je niet thuis in een hoekje te spelen?' vraagt hij.

'Heb jij een wandelend hart?'

Wandelend hart, mooi is dat, denkt Tinka. Graag zou ze ook zoiets bedenken.

Garka staart voor zich uit. 'Mijn hart heeft te ver gewandeld en is verloren gelopen', mompelt hij.

Tinka begint de kilte van de stenen te voelen. Ze blijft dicht tegen Garka zitten, zijn lichaam geeft een beetje warmte af.

Van ergens komt het ijle geluid van een kerkklok aangezweefd. Dun als de roep van een vrouw in de avond.

'Zelfs de klokken weten niet meer hoe ze moeten jubelen', zegt Garka. Hij haalt een pakje tabak uit zijn zak en begint een sigaret te rollen, met heel precieze gebaren. Tinka ziet het roze puntje van zijn tong over het vloeitje glijden.

Net een kattentong, denkt ze.

Ver weg slaat een granaat in. Tinka heeft afgeleerd ervan te schrikken. Elke inwoner van de stad weet dat de dood elk ogenblik uit de lucht kan vallen, omdat de vijand nu en dan lukraak een granaat afvuurt. Het heeft geen zin om angstig binnen te blijven, het dak kan boven je hoofd instorten. Wat gebeuren moet, gebeurt.

'Ze willen de schrik erin houden', zegt Garka.

Hij zuigt aan zijn sigaret en probeert tevergeefs een kringetje te blazen.

'Weet je wat de doden zeggen?' vraagt hij.

Tinka schudt met haar hoofd.

'Dit is geen leven, zeggen de doden.'

Tinka glimlacht. Ze gooit een paar brokjes steen voor zich uit. 'Als er 's nachts een granaat ontploft, springen er sterren uit de aarde', zegt ze. 'Heb ik zelf eens gezien. Een heleboel mooie, kleine sterretjes. Ze leven maar even. En toch zijn de sterren aan de hemel dan jaloers, denk ik.'

'Sterretjes, ja', zegt Garka. 'Dat heb je dus onthouden? Mooi zo. Maar de granaten slaan ook gaten in de aarde en dan krijgt de aarde overal holle, lege magen. De aarde heeft een verschrikkelijke honger. Naar dode mensen. Als ik daaraan denk, zweet ik ijs.'

Tinka knikt. Dat kent ze, ijs zweten.

Garka kijkt om zich heen. 'Ze blijven lang weg vandaag', zegt hij. Hij kijkt naar de bleke zon, die boven de horizon in nevelflarden begint te verdwijnen.

'Straks is het weer nacht', zucht hij. 'Ik hou niet van de nacht. Ik kan moeilijk in slaap raken. Dan sta ik urenlang naar de maan te staren. Gelukkig is de maan er nog.'

'Ja', zegt Tinka. 'De nacht eet de maan niet op, dan zou ze altijd in het donker zitten.'

'Precies', zegt Garka lachend. 'Weet je, een tijdje geleden sliep ik nog als een boom. En ik kreeg altijd mooie dromen.'

'Ja?'

47

'Over een hond die kon vliegen en droomde dat op alle kno-
ken het vlees weer aangroeide. En dat de stad weer vol bomen stond om gezellig tegen te piesen. Maar nu, nee, ik kan
niet meer in slaap komen. Heel mijn voorraad dromen zat in
een zak en die zak is gescheurd en de dromen zijn ontsnapt.'
'Jammer', zegt Tinka. Ze denkt lang na. 'Mijn opa zegt dat je
een ei met veel zout moet eten vlak voor je gaat slapen. Dan
komt iemand in een droom om je fris water te brengen.'
Garka kijkt haar aan. 'Heb je het al eens geprobeerd?'
'Ik heb al maanden geen ei meer gegeten', zegt Tinka verlegen.
Met een vingerknip schiet Garka zijn peukje weg. Plotseling
legt hij zijn hand op de knie van Tinka. 'Daar komen ze!'
Tinka ziet een vlucht duiven. Ze zweven even in het rond en
strijken dan neer.
'Ze komen hier elke avond om eten te zoeken', zegt Garka.
'In de stad zijn er mensen die duiven met hun handen proberen te vangen', zegt Tinka.
'Daar ben ik te versleten en te traag voor, meisje. En ik kan
er ook niet met mijn buks staan schieten, ik zou mensen
kunnen verwonden. Daarom kom ik hier.'
Tinka plukt aan haar onderlip. 'Branko wil een geheime club
oprichten van jongens die jagen op mensen die op duiven jagen.'
Garka lacht kort. 'Aardige jongen, die Branko.'
Tinka knikt heftig. Met een schuin oog ziet ze hoe Garka
voorzichtig zijn windbuks pakt. Hij zet hem tegen zijn
schouder, mikt zorgvuldig en schiet. Ruisend vliegen de duiven op. Eén fladdert over de grond en blijft dan liggen.
'Kom', zegt Garka.
Ze steken de straat over en hurken bij de duif. Een van zijn

vleugels beweegt nog in een langzame stuiptrekking. Garka klemt de nek van de duif tussen twee vingers en Tinka hoort een droge knak. Ze huivert.

'Het heeft geen zin zijn lijden te rekken', zegt Garka. Hij voelt of er veel vlees aan het lijfje zit.

Opeens horen ze achter zich fietsremmen piepen. Ze kijken om. Een vrouw werpt haar fiets tegen de grond en rent op hen af. 'Wat doe je!' gilt ze.

Ze gaat vlak voor Garka staan en slaat hem pal in zijn gezicht.

'Mijn zoon is al een week dood en nu is hij een duif!' schreeuwt ze. 'Misschien heb je hem vermoord!'

Onthutst staat Garka haar aan te kijken. De vrouw klemt haar hoofd tussen haar handen en wiegt even heen en weer. Dan draait ze zich om, loopt naar haar fiets en rijdt verder.

Tinka kijkt naar Garka.

Nadenkend trekt hij een veertje uit het slappe lijf van de duif. Hij blaast het weg van zijn vingertop en kijkt hoe het naar de grond zweeft.

'Ik had liever dat het veertje weer kon vliegen', zegt hij. 'Maar ik kan geen vlees betalen en dus...'

Hij kijkt de vrouw na. 'Weet je wat de oorlog is? Een blok ijs in je binnenste dat almaar groter wordt, tot je helemaal bevroren bent.'

Hij raapt zijn windbuks op.

Tinka krijgt het opeens koud. 'Ik moet naar huis', zegt ze.

Ze kijkt naar de lucht. Heel hoog zweeft een wolk, met gespreide vleugels.

Laten we zwijgen, mijn lief

Het is geen feestdag omdat het zo op de kalender staat. Het is een feestdag omdat de vader van Branko door het gat in de scheidingshaag stapt, met zijn ene hand wuift en met zijn andere een kip tegen zijn borst gedrukt houdt. Achter hem duikt Branko op, en dan zijn moeder. Alledrie met lachende gezichten.

'Wij zorgen voor het vlees, jij maakt het klaar', zegt Branko's vader tegen de moeder van Tinka. 'Een eerlijke ruil, vind je niet?'

Branko's moeder draagt vijf dikke aardappelen in haar schort. 'Meer hebben we niet', zegt ze.

'Met die van ons erbij komen we zeker toe', zegt Tinka's moeder, met een nerveus lachje. Vlees, stel je voor. Een hele kip. De kip tokt en knipoogt.

'Zullen we buiten eten?' stelt Tinka's vader voor. 'Het is misschien de laatste mooie herfstdag.'

Met Branko's vader haalt hij de tafel en de stoelen uit de keuken. Ze planten ze midden in de tuin, de groentebedden zijn al omgespit. Dan gaan ze tegen het muurtje de kip slachten en pluimen.

Branko en Tinka willen het gefladder niet meer horen en verdwijnen in de stal. Bij de trouwfoto fantaseren ze welke heerlijke huwelijksmaaltijd die twee gehad hebben. Ze krijgen honger van al die konijnenbouten met pruimen en ijs met slagroom.

'Ik heb de kip gevangen', vertelt Branko. 'Ze liep opeens in onze tuin rond. Ik kreeg haar bijna niet te pakken. Langs de composthoop kon ze op ons tuinhuisje. Ik moest de ladder gebruiken. Maar de kip liep tot op het eind van de nok en toen ik naar haar grabbelde, duikelde ze naar beneden en ik ook. Voel eens, hier.'

Tinka betast eerbiedig de bult op zijn hoofd.

'Ik heb even staan duizelen', zegt Branko. 'En de kip, die rende de keuken in. Ik erachteraan. Mama gilde en papa kwam net thuis en met ons drieën liepen we elkaar in de weg. De kip fladderde maar rond, van de gootsteen op de tafel, onder een stoel, terug de tuin in. Daar heb ik ze met een duik kunnen vangen.'

In de tuin klinkt gelach en als ze uit de stal komen, staat Branko's vader net met veel gebaren over de vangst van de kip te vertellen. 'Branko is daarna de hele straat afgegaan, van deur tot deur, maar niemand mist een kip, dus ons geweten hoeft niet te knagen', besluit hij zijn verhaal.

De kip ligt al in een grote pan. 'Ik zal er eerst een lekker soepje van maken,' zegt Tinka's moeder. ' Jammer dat de groenten op zijn.'

'Nu is het mijn beurt voor een verrassing', zegt haar vader. Hij gaat naar binnen en komt terug met zes grote appels. 'Vandaag verdiend met een klusje. Ik had ze verborgen willen houden tot Tinka jarig is, maar nu komen ze goed van pas. Kip met appelmoes, wat vinden jullie?'

'Je kunt ze beter voor de winter bewaren', zegt Branko's moeder. 'Warme appeltaart in de winter, ah!'

Maar Tinka's vader legt ze op de tafel. Een voor een wrijft hij ze op met zijn mouw, tot ze liggen te glanzen. 'Nou nou', zegt

51

hij tevreden. 'Nou nou, dat zijn me je appeltjes wel!'

Tinka's moeder snijdt ze in stukken en haalt het klokhuis eruit, terwijl iedereen toekijkt.

En dan moeten ze alleen nog wachten. Het is geen ongeduldig wachten, maar een plezierig wachten dat lang mag duren, omdat het intussen in je buik gezellig kriebelt. Ze gaan alvast rond de tafel zitten. De stoelen wiebelen op de losse grond en Branko kukelt omver. Hij krijgt zelfs geen verwijten omdat zijn pas gewassen broek vuil is. Er wordt gebabbeld en gebabbeld, de zinnen rijgen zich aaneen of breken halfweg af, en de oorlog krijgt niet de kans om er zich tussen te wringen.

'Als we Amra eens uitnodigden?' stelt Tinka's moeder opeens voor. 'Zes porties of zeven, het maakt weinig verschil.'

Tinka en Branko gaan haar halen. Twee huizen verder woont ze, helemaal in haar eentje, al van toen Tinka en Branko nog niet op de wereld waren. Ze is ongelooflijk oud en klein. Ze heeft vast al een heleboel oorlogen overleefd.

Amra wil hen eerst niet geloven. 'Jullie mogen een oude vrouw niet voor de gek houden', zegt ze met opgeheven vinger. Maar Branko met zijn eerlijke ogen kan iedereen overtuigen.

Ze zien Amra nadenken, haar neus knijpt ervan samen. 'Dan moet je wel even naar de kelder', zegt ze tegen Branko. 'Die trap, dat is niets meer voor mijn oude stelten. In de kelder staat een rekje, met een paar flessen wijn van vroeger. Neem er eentje, of nee, neem er twee, het is niet alle dagen feest.'

Branko moet wat rondstommelen in het duister en komt dan met twee bestofte flessen naar boven.

'Elk eentje dragen', zegt Amra. 'En links en rechts van mij lopen. Niet vooruithollen.'

Ze steunt op een stok en zet onmogelijk kleine pasjes.

De koningin en haar twee pages gaan op bezoek met een cadeautje, denkt Tinka, en zelfs Branko heeft iets plechtigs over zich, hij draagt de fles wijn met beide handen voor zich uit. Tinka loert of ze nergens een gordijn ziet bewegen.

In de tuin worden ze op applaus onthaald.

De borden staan al op tafel en nu is het de beurt aan Tinka's moeder om een optocht te houden, in haar eentje, met de dampende pan soep zegevierend voor zich uit. Het is stil als ze de soep uitschept, één volle pollepel voor elk. Ze gaan er meteen met hun neus boven hangen.

'Slurpen mag vandaag!' roept Tinka's vader, en dat is niet tegen de wind gezegd. Het lijkt wel een wedstrijd in slurpen en smakken. Er volgt nog een tweede ronde, met een halve pollepel.

Tinka mag de dampende appelmoes naar buiten dragen, ze hangt er met haar neus boven. Branko's vader neemt een fles wijn en iedereen wacht op het plopgeluidje van de kurk.

Amra mag voorproeven en ze doet het met stijl, alsof ze in een peperduur restaurant zit.

Nooit heeft Tinka zo lekker gegeten. Het bodempje wijn gloeit in haar buik.

'Je zou haast vergeten dat het oorlog is', zegt haar vader en iedereen knikt. Hij haalt een paar kaarsen en steekt ze aan, de avond valt al. Daarna haalt hij de halfvolle fles wodka en zet ze met een klap op tafel. Tinka's moeder gaat thee zetten. Uit de kelder haalt ze de grote metalen doos waarin ze haar witte theekopjes met de goudkleurige bloemetjes bewaart.

Feestelijker kan niet meer, dat weet Tinka wel zeker.

Branko schudt met zijn hoofd als zijn vader hem plagend zijn glaasje met vodka voorhoudt.

Hij is de enige jongen die ik ken die nooit stoer wil doen, denkt Tinka.

Haar vader haalt een hoopje gebruikte theebladeren die hij heeft laten drogen en rolt er sigaretten mee. De twee mannen zorgen ervoor dat de oude Amra geen rook in haar gezicht krijgt, ze is erg kortademig. Maar dat belet haar niet om aan één stuk door te praten. Ze vertelt over de tijd dat de stad nog een dorp was. De tijd van boerenkarren in de straten en de geur van mesthopen. Ze heeft nog de eerste tram zien verschijnen, en de televisie, dat was helemaal een wonder, ja ja. 'Toen was het op straat nog veilig, zelfs als het donker was', zegt ze. 'We deden niets anders dan spelen en zingen. Zal ik eens een van onze liedjes zingen?'

En ze zingt van 'Eia, popeya, mijn zoontje, ik kook een soepje voor jou' en daarna van een dappere huzaar die drie kinderen uit een toren bevrijdde. Liedjes die Tinka nooit heeft gehoord. Amra zingt met een hoge, bibberige stem en kan de toon niet houden. Ze zingt ook met rukjes, haar adem stribbelt tegen. Maar ze krijgt een applaus alsof ze een ster is. Ze gaat staan en werpt kushandjes.

Nu wil iedereen zingen, samen. Als vanzelf kiezen ze het lied dat de laatste maanden in de hele stad bekend is geworden.

Laten we zwijgen
mijn lief
laten we zwijgen,
elk woord is er een te veel.
En vergeet nooit:
wonden gaan voorbij

vroeg of laat,
maar mijn liefde, mijn lief,
gaat niet voorbij.

Waarom is een liedje dubbel zo mooi bij kaarslicht in het donker, denkt Tinka. Garka de straatzanger flitst even door haar hoofd; Garka die niet meer zingt en soms duivenvlees eet.
Haar vader zet de tweede strofe in, maar opeens vliegen lichtspoorkogels hoog over hen heen. Ze weten allemaal wat dat betekent.
'Toch kunnen ze ons deze avond niet meer afpakken', zegt Tinka's vader, terwijl iedereen opstaat. In de verte begint een sirene te loeien.
Branko gaat met zijn ouders mee. Amra wil nog naar haar eigen huis, maar Tinka's vader vindt dat te gevaarlijk. Ondanks haar protest tilt hij haar gewoon op en draagt haar naar de kelder. Tinka's moeder legt haastig de theekopjes in de metalen doos en neemt ze mee.
In de kelder liggen oude dekens op de betonnen vloer en kaarsen staan altijd klaar. Misschien zullen de beschietingen lang duren en moeten ze hier blijven slapen. De grond begint al te trillen en de ontploffingen weerkaatsen tegen de hellingen. Maar met wat kip in je buik en liedjes in je oren is het een stuk minder griezelig, vindt Tinka. De angst, die haar altijd overspoelt als ze thuis in de kelder is, zal door de liedjes in slaap worden gesust. Laten we zwijgen, mijn lief, hoort ze in haar hoofd.

Vandaag wint wollige warmte

Aarzelend loopt Tinka om de tafel heen.

Het ligt daar te wachten op haar trillende vingers. Dik en plat, gewikkeld in krantenpapier.

'Jammer dat ik geen glanzend inpakpapier had', zegt haar moeder. 'En ook niet zo'n lint waarmee je van die grappige krulletjes kunt maken.'

Een verjaardagscadeautje had Tinka echt niet durven verwachten.

'Doe het nou eindelijk eens open!' roept haar moeder. Ze heeft een blos op haar wangen.

Het pak voelt mals aan. Tinka knijpt er een paar keer in en eindelijk scheurt ze het papier aan stukken.

Een trui, in al de kleuren die Tinka in deze grauwe novembermaand vergeten is. Hij voelt heerlijk zacht aan. Tinka streelt de mouwen, legt de trui plat op de tafel, vouwt hem op en weer open, keert hem om en knijpt er nog eens in.

'Gebreid van al de restjes die ik nog had', zegt haar moeder. 'Vandaar die wirwar van kleuren. Een beetje rommelig is het wel.'

Rommelig? denkt Tinka. Rommelig? Haar ogen schieten heen en weer. Van een blauwe streep lucht naar een kluitje donkerbruine aarde, een groen blad, een roze tong, een gele vogelbek, een donker vijvertje, een eilandje paarse inkt, een rode bessenvlek. De trui leeft. Zijn kleuren dansen zo vrolijk dat Tinka er haast duizelig van wordt. Ze duikt met haar hoofd weg in de zachte wol en giechelt opgewonden.

'Vooruit, doe hem aan!' zegt haar vader. 'Ik wil zien hoe mooi mijn meisje wel is.'

Nerveus trekt Tinka de trui over haar hoofd, ze kan de mouwen haast niet vinden.

'Wurg jezelf niet', zegt haar vader lachend.

Haar moeder houdt haar een spiegel voor. Tinka staat met ingehouden adem te kijken. Deze trui is alles tegelijk: warmte als van vers gebakken brood en gepofte aardappelen, de geur van zaagsel en melk, het verlangen naar kleurpotloden en waterverf. Een trui om je in te wikkelen en je dan om niets meer zorgen te maken. Ze vliegt haar moeder om de hals.

'Nou ja...' snottert haar moeder. 'Al die lange avonden... dat jij in bed lag... zo had ik... had ik iets om handen.' Ze haalt een zakdoek uit haar schort en snuit haar neus.

Tinka voelt de handen van haar vader. Hij trekt haar op zijn schoot. 'Weet je,' fluistert hij in haar oor, 'toen je moeder die trui breide, breide ze niet zomaar een trui. Ze breide ook een droom. De droom dat alles weer goed komt. Begrijp je?'

Tinka wil niet nadenken. Ze wil haar geweldige trui aan de wereld laten zien.

'Ik ga buiten spelen', zegt ze.

'Ga je dan meteen even naar de groentemarkt?' zegt haar moeder. 'We hebben aardappelen nodig.' Ze haalt drie munten uit haar portemonnee. 'Zoveel als je hiervoor kunt krijgen. Je zult het makkelijk kunnen dragen.' Ze zucht. 'En neem niet de eerste de beste, hoor je?'

Ze bekijkt de trui nog eens, trekt aan de mouwen en aan de onderkant en knikt goedkeurend. 'Aan de binnenkant zitten wel een boel rafeltjes. Door al die restjes. Voel je ze?'

'Nee', zegt Tinka. 'Dag!' Ze holt naar buiten.

De herfstwind zwiept over de daken, zoeft rond een paar hoge schoorstenen, zuigt een hoopje bladeren in een wervelende kolk de lucht in, doet vensterluiken klapperen. Maar tegen de trui kan hij niet op.

Tinka huppelt door haar straat. De oude Arsen staat zoals altijd in de deuropening. Hij sabbelt op een peukje, sjort aan het touw dat zijn broek moet ophouden, veegt over zijn altijd tranende ogen en wacht op een voorbijganger om een praatje te slaan.

'Ah, die Tinka! Waar ga je nu weer naartoe, zwerfkat?' roept hij.

'Naar de markt.' Heeft hij haar nieuwe trui niet gezien?

'Als je een sinaasappel ziet die groter is dan mijn kop, mag je hem meebrengen!'

'Geen geld genoeg!' roept Tinka.

'Weet je waar vlooien met geld van dromen? Nee? Ze dromen ervan een hond te kopen. Een hond met een dikke vacht.'

Hij lacht zijn schorre lach, die iedereen in de buurt kent.

Tinka gelooft best dat sommige mensen een omweg maken, speciaal om met de oude Arsen te babbelen. 'Vijf minuten lachen en ze kunnen er weer voor een dagje tegen', zei haar moeder eens.

'Mooie trui!' roept Arsen haar na. Ha, eindelijk!

Tinka kijkt of ze geen gezichten achter de ramen ziet. Jammer dat zoveel ramen afgedekt zijn met zwart papier of verborgen liggen achter gestapelde zandzakjes. Ze loopt om de kuil van een granaatinslag heen, over de randen en de karrenwielvormige littekens die felrood zijn geverfd om auto's en fietsen te waarschuwen. Vandaag is er geen oorlog. Vandaag winnen wollige warmte en zachtheid en feestelijke kleuren.

Ze komt op het plein vanwaar de brede weg naar de groente-markt vertrekt. Het is er druk. Tinka kijkt naar de jassen en truien die haar voorbijlopen. Vaak opgelapt. Fletse kleuren. Rafels en zelfs scheuren.

Waarom kijken ze niet naar mij, denkt Tinka. Waarom her-kent niemand een fee? Ik neem een binnenweg door kleine straatjes. Daar valt mijn trui meer op.

Ze slaat een smalle zijstraat in, en dan een steeg. Ze weet welke richting ze moet aanhouden. Ze weet dat haar trui een dansende vlek is.

Ze komt in een straatje waar de wind door jaagt. Een hond wroet in een vuilnishoop en gromt als ze voorbijkomt. Tinka versnelt haar pas.

Opeens springt er een jongen uit een portaal. Tinka heeft hem nooit eerder gezien. Ze kijkt naar zijn haveloze shirt vol vlek-ken. Misschien komt hij uit een andere wijk, op zoek naar iets.

De jongen laat haar niet door. Pesterig springt hij in het smalle straatje naar links of naar rechts, met gespreide ar-men, tot Tinka blijft stilstaan.

'Mooie trui heb jij daar', zegt hij. Hij kijk haar met half toe-geknepen ogen aan. 'Zeker lekker warm met dit weer?'

Tinka antwoordt niet. Hij ziet er kouwelijk uit, denkt ze.

'Niks geen grijze trui. Of zo'n stomme groene. Nee hoor, alle kleuren van de regenboog! Je voelt je zeker goed in die trui?'

Tot zonet wel, denkt Tinka. Ze speurt de gevels af, maar ner-gens is er een mens te zien.

'Hij zou me wel passen, denk ik', zegt de jongen. 'Mag ik hem eens proberen, voor heel even?'

Tinka wijkt een stap en schudt onzeker met haar hoofd.

De jongen grinnikt. 'Nee, zo dom ben je natuurlijk niet.' Hij blijft haar een tijdje aanstaren, haalt dan zijn schouders op. 'Nou, dan zal ik hem van je moeten afpakken.' Hij werpt een snelle blik om zich heen en voordat Tinka kan bewegen, grijpt hij haar vast.

En Tinka worstelt. Ze vecht voor de warmte van vers gebakken brood, de geur van zaagsel en het verlangen naar kleurpotloden. Ze valt en voelt het lichaam van de jongen en hoe hij aan haar trui sleurt. Ze grabbelt om zich heen, stoot met haar hand tegen een dikke steen, grijpt hem en slaat de jongen uit alle kracht tegen de zijkant van zijn hoofd. De jongen verstart, met grote ogen, grote verbaasde ogen vlak boven haar gezicht. Hij kreunt, rolt van haar af, gaat op zijn knieën zitten. Hij grijpt naar zijn hoofd, bloed sijpelt tussen zijn vingers door.

Nee! Niet op mijn trui! Tinka springt overeind en rent weg. Op het einde van het straatje houdt ze halt en kijkt om. De jongen zit nog altijd op zijn knieën en kijkt in haar richting.

Tinka begint weer te rennen. Pas op de groentemarkt gaat ze tussen twee kraampjes op de rand van de stoep zitten om uit te hijgen. Met opgetrokken schouders wrijft ze over haar trui, steeds opnieuw, met beide handen. Als ze uitgehijgd is, trekt ze haar trui uit. Nergens vlekken of viezigheid. Met een zucht trekt ze hem weer over haar hoofd. Geen gat in mijn trui, maar misschien wel een gat in zijn hoofd, denkt ze.

Ze haalt diep adem en begint langzaam langs de kraampjes te lopen om de mooiste aardappelen uit te zoeken. Haar trui heeft ze niet in de steek gelaten, nu mag ze haar moeder niet in de steek laten.

Over de hoofdweg keert ze terug naar huis. Ze kijkt niet meer of de mensen naar haar trui kijken.

'Mooie aardappelen', prijst haar moeder. 'En? Is de trui lekker warm?'

'Ja hoor', zegt Tinka. Ze zegt niets over de jongen. Ze zou wel willen, maar die steen, en dat bloed.

Ze gaat vroeg slapen, als het nog maar net donker is.

'Zo vroeg? Op je verjaardag?' vraagt haar vader.

Hij krijgt een kus, geen antwoord.

Tinka kruipt in bed, met haar trui nog aan, en luistert naar de zoevende wind. Door het raam staart ze naar de schimmen van de voortjagende wolken. Ze ziet de geknielde jongen, en het bloed. Nu ben ik ook een stukje oorlog, denkt ze.

Straks zal ze de ontploffingen tellen van de granaten die elke nacht op de stad neerdalen. Ze zal ook tellen hoe lang het telkens duurt tot de volgende, misschien komt ze wel tot dertig.

Ze hoopt dat ze vannacht niet in bed plast. Als je meer huilt, plas je dan minder in bed omdat er dan al veel water weg is? Waarom kan ze nu niet huilen?

Branko beweert dat bij maanlicht de weerwolven uit de heuvels naar de stad komen. Maar je kunt niet alles geloven wat Branko zegt. Nee, dat zou dom zijn.

Tinka gooit zich op haar zij. Ze slaat haar armen om haar schouders en wacht tot ze alleen nog maar de warmte van haar trui voelt en niet meer kan denken.

Eet de postbode niet op

'Hij draagt een kaart om zijn nek, zie je?' fluistert Branko.
Tinka laat de lucht sissend tussen haar tanden ontsnappen.
Vanachter de verbrokkelde muur turen ze naar de schaduw
die aarzelend over de sneeuw loopt, alsof hij niet goed weet
waarheen.
'Het is vast een hond van Maka de Zot', zegt Branko. 'Ik heb
mijn moeder eens horen praten over Maka en zijn zwerfhonden.'
Ze staren naar de prentkaart, die aan een touwtje om de spich-
tige nek van de hond wiebelt. Een kleurrijke vlek die 'pak me'
zegt. 'Pak me, pak me', bij elke zwaai.
Op een paar meter van de muur blijft de hond staan. Hij is
groot en schonkig. Even snuffelt hij met zijn neus hoog in de
lucht, misschien ruikt hij iets lekkers, ver weg, onbereik-
baar. Dan laat hij zijn kop hangen.
'Durf jij?' vraagt Tinka.
Branko aarzelt. 'Grote zwerfhonden zijn gevaarlijk, zegt mijn
moeder. Je weet nooit hóe hongerig ze zijn.'
'En wij tweeën samen?' dringt Tinka aan. Haar ogen blijven
aan de kleurrijke vlek haken. Stuifsneeuw waait in haar ge-
zicht. "Ik wil weten wat er op die kaart staat.'
Branko zucht. Voorzichtig loopt hij naar voren.
De hond blijft onbeweeglijk staan. Zijn ogen zijn dof. Als
Tinka en Branko naderen, wijkt hij een paar passen.
'Rustig maar, rustig maar', zegt Tinka. Ze maakt sussende en
lokkende geluidjes.

De hond begint te rillen.

'Hij heeft al veel klappen gekregen', fluistert Branko. 'Zeker als hij eten loopt te schooien.'

Tinka knielt bij het dier. Ze voelt de kou van de sneeuw niet, ze streelt en streelt over de vacht vol klitten.

'Peuter jij het touwtje los?' zegt ze. 'Ik houd hem rustig.'

Branko hurkt neer, zijn vingers trillen. Het duurt even. Het is een wenskaart, met een luchtfoto van hun stad in het bloeiende dal. De burgeroorlog was toen nog niet als een aasgier hun dal binnengevallen.

Branko draait de kaart om. Aandachtig lezen ze wat er met potlood in krachtige hanenpoten geschreven staat.

Deze kaart is voor jou. Ooit smelt de sneeuw en komt de zon terug. Ze kunnen de zon niet kapotschieten. Eet de postbode niet op! Maka.

'Zie je wel?' zegt Branko. 'Van Maka. Hij lokt zwerfhonden naar zich toe, bindt ze een wenskaart om de nek en stuurt ze dan weer weg.'

'Naar wie?' vraagt Tinka.

'Naar wie maar durft, zoals wij.'

'Waarom doet hij dat?'

Branko denkt na, haalt dan zijn schouders op. Hij wappert met de kaart. 'Wat doen we ermee?'

Tinka grist de kaart uit zijn handen. 'Ken jij Maka?' vraagt ze.

'Nee. Hij woont in een uitgebrande tram, in de buurt van de Pashamoskee. Mijn moeder weet alles.'

'Kom', zegt Tinka. Zonder naar Branko om te kijken begint ze te lopen. Branko weet wat ze wil. En hij weet dat hij haar niet kan tegenhouden. Tinka heeft een harde kop, hard als een kogel.

'Ik mag van mijn moeder niet naar Maka, dat weet ik wel zeker', zegt hij, terwijl hij naast haar door de dikke sneeuwlaag ploetert.

'Dan blijf je toch hier!' zegt Tinka.

Branko zucht en loopt door.

Tinka kijkt om zich heen. Ze houdt van de sneeuw. Hij maakt mooie bobbels van het puin, vult kogelgaten op en kleurt zwart beroete gebouwen weer wit. Alsof er niets aan de hand is.

Opeens ziet ze een bloempot midden op de straat. Er staat een kruisje in geplant, van twee takken.

'Hier is verleden week een vrouw doodgeschoten door een sluipschutter', zegt Branko. 'Hij zat in die zijstraat, daarom hebben ze die nu afgesloten.' Hij wijst naar een muur van autowrakken. 'Ze hebben het lijk pas 's avonds durven weghalen, toen het donker was. Mijn moeder weet echt álles. Als ze niet meer kan kletsen, gaat ze dood.'

Tinka staart weer naar de bloempot, dan naar de lucht.

Maar de zon kunnen ze niet kapotschieten, denkt ze.

Ze heeft het vage gevoel dat dat heel belangrijk is.

Branko wijst naar een oude vrouw, die moeizaam een slee met twee grote zakken erop voorttrekt.

'Zullen we haar helpen?' vraagt Branko. 'Misschien zit er iets lekkers in die zakken.'

'Nee, eerst Maka', zegt Tinka.

Zodra ze de hoek omslaan, zien ze het geraamte van de tram. Een paar zwartgeblakerde ijzeren stangen steken scherp af tegen de sneeuw.

'Gelukkig hebben trams een ijzeren dak', zegt Branko. 'Anders had Maka een andere plek moeten zoeken.'

Tinka trekt hem mee aan zijn mouw.

Ze zien Maka in de tram zitten, bij een smeulend vuurtje. Hij heeft een dikke overjas aan. Hij kijkt op en staart naar de kaart in de hand van Tinka. Zijn ogen beginnen te glinsteren, midden in de warrige krans van grijs haar.

'Hoe... hoe kom je aan die kaarten?' vraagt Tinka.

Ze durven niet in de tram te stappen, Maka ziet er erg woest uit.

'Jij hebt een verdomd mooie gebreide trui', zegt Maka. 'Wil je hem niet ruilen voor een kusje?'

Hij grinnikt met open mond.

'Die kaarten...' herhaalt Tinka.

Maka neemt een doos en tilt het deksel op. Ze zien een pakje wenskaarten liggen.

'Gevonden', zegt Maka. 'Maar postzegels waren er niet bij. Toen heb ik zelf mijn postbodes aangesteld. Ze werken gratis.'

Hij lacht luid, een beetje hinnikend.

'Als jouw postbodes te veel honger krijgen, eten ze de post misschien op', zegt Branko, en hij lacht een beetje nerveus.

'Dan poepen ze woorden!' giert Maka. Hij slaat met zijn vuile handen op zijn dijen.

Tinka probeert het zich voor te stellen, een hoopje woordenpoep. Iets met veel rafels en zwarte sliertjes, en zonder stank.

Even is het stil.

'Ik heb nog een tweede doos', zegt Maka opeens. Hij begint onder een hoop morsige dekens te tasten en haalt een kleine doos tevoorschijn. Hij tilt het deksel op en houdt de doos schuin naar Tinka en Branko. Ze zien een grijs hoopje stof.

'As', zegt Maka. 'Van mijn afgebrand huis. Het was helemaal

van hout. Gezellig huis, hoor, zelf gebouwd. Maar opeens, boem, een granaat. Ik was er niet. Mijn vrouw wel. Op slag dood en mee opgebrand. Misschien zit een deel van haar wel in deze as.'

Zijn ogen zwerven over de straat.

'Ze heeft het toen wel even warmer gehad dan ik nu', giechelt hij, terwijl hij het deksel terug op de doos doet en hem voorzichtig wegzet.

Tinka wiebelt onwennig op haar benen.

'Mogen wij...' begint ze aarzelend.

'Ja hoor', zegt Maka. 'Ik zal jullie de mooiste kaart geven die ik heb.' Hij zoekt in de tweede doos en haalt er een kaart uit.

'Hier. Met een rennend veulen. Misschien rende het wel recht naar zijn dood, wie weet.' Hij giechelt weer. 'En hier is een potlood. Bedenk maar iets moois. Iets tegen de kou. Ik ga intussen een postbode voor jullie vangen.' Snuivend stapt hij uit de tram.

Tinka en Branko kijken hem na terwijl hij de straat afloopt, met wiegend bovenlijf en een hoge rug.

Dan buigen ze zich ernstig over de kaart.

Een eigenzinnig paadje

Het blijft maar sneeuwen.

Iemand zegt dat het mooi is.

Iemand zegt dat je zin krijgt om je leven opnieuw te beginnen.

Iemand zegt dat de Schepper de wereld zo bedoeld heeft, maar dat de mensen, ach, de mensen.

Tinka luistert naar wat voorbijgangers elkaar toeroepen. Ze kijkt naar de smalle paadjes die de voetstappen in de sneeuw achterlaten. Ze kronkelen langs sneeuwbulten, wijken af naar huisdeuren of verdwijnen door poorten naar binnenpleintjes. Het paadje van een fietser is het smalst.

Ik ga mijn eigen paadje maken, denkt Tinka.

Ze zet haar voeten alleen waar de sneeuw door niemand is aangeraakt. Soms moet ze over een dwarsspoor springen, of een bocht maken. Nu en dan kijkt ze achterom. Het is een mooi pad, met een eigen wil.

Het brengt haar naar dingen die ze al kent, zoals het Paleis van de IJskoningin. De naam is door Branko bedacht. Het is een groot herenhuis met torentjes, dat gedeeltelijk is afgebrand en vol ijspegels hangt. Het lijkt zo uit een tekenfilm te komen.

Haar paadje brengt haar naar sneeuwbanken van wel drie meter hoog, over autowrakken heen.

Het loopt voorbij mensen die de sneeuw van de stoep vegen, alsof een been breken het ergste is wat je in een oorlog kan overkomen. En voorbij mensen die sneeuw in een pan scheppen om zich te kunnen wassen.

Het brengt haar naar een stilstaande autobus met draaiende motor, volgepropt met vrouwen en kinderen. Ze willen weg uit de stad en hopen maar dat ze bij de barricades op de uitvalswegen niet terug worden gestuurd.

Haar pad wijkt uit naar het pleintje met de verlaten kraampjes. Gisteren heeft ze hier met Branko gespeeld. Vanachter een kraampje riepen ze naar de voorbijgangers dat ze heerlijke verse sneeuw te koop hadden. Een paar mensen hadden zelfs geglimlacht.

Haar paadje botst op een brandweerwagen met uitgerolde slangen. Mensen schuiven aan met grote plastic jerrycans, want overal zijn de pompen en de waterleiding bevroren.

Dat alles is niet nieuw voor Tinka.

Maar soms stoot ze op oude dingen met een nieuw gezicht. Het zoveelste voedselkonvooi, maar nu met paters in bruine pijen, waar de pijpen van spijkerbroeken even onderuit piepen. Of de zoveelste sneeuwpop, maar deze wordt aangevallen door een jongen die een mes op een stok heeft gebonden en krijsend stormloopt en zijn bajonet in de buik van de sneeuwpop drijft.

Natuurlijk voert haar pad haar ook naar heel nieuwe dingen, waar dienen eigen paden anders voor. Ze ziet een man woorden op een muur kalken en kijkt toe tot hij ermee klaar is. WELKOM IN DE LEEUWENKOOI.

'Begrijp je?' vraagt hij. Hij heeft een zwarte snor en donkere, fonkelende ogen.

'Nee', zegt Tinka. 'De dierentuin is kapotgeschoten, meer weet ik niet.'

De man schiet in de lach. 'Ik spreek in beelden!' roept hij. 'We zitten hier in de stad gevangen als in een kooi. Maar we verdedigen ons als leeuwen!'

'Oh', zegt Tinka.

Hoe kun je dat leren, in beelden spreken, vraagt ze zich af. Ze zal het aan de meester vragen. En als ze de fotograaf nog eens tegenkomt, zal ze hem naar deze plek brengen.

De man springt op zijn fiets en Tinka kijkt hem na. De emmer zwaait aan zijn vrije hand. Hij heeft ook zijn eigen pad, naar muren.

Haar paadje blijft maar groeien, met bochten en hoeken en zelfs een cirkel, en lokt Tinka naar zijn grootste verrassing: de man met de boeken.

Hij komt uit een huis, met een torentje boeken tegen zijn borst. Hij stapelt ze op een slee, naast andere boeken, en gaat weer naar binnen. Tinka blijft staan kijken tot de man met een nieuwe stapel naar buiten komt. Nu pas herkent ze hem. Vorige week stond hij in de lange rij voor het kantoor van de voedselbonnen. Hij las in een boek, terwijl hij voetje voor voetje vooruitschuifelde. Hij keek niet op, zelfs niet toen er in de rij ruzie uitbrak. Alsof hij zich in het boek bevond, en niet op straat, had Tinka gedacht.

De man knikt naar haar, terwijl hij de boeken keurig stapelt. Hij legt er een groot stuk bruin papier over en bindt alles voorzichtig met een koord op de slee vast. Je kunt aan zijn handen zien dat hij van boeken houdt.

'Van mijn oudste broer', zegt hij. 'Hij is vorige week gestorven. Hij wilde dat ik ze kreeg.'

Hij gaat op het uiteinde van de slee zitten. 'Mijn lievelingsbroer', zegt hij. 'Een bibliofiel... eh... een boekenliefhebber, net als ik. Als kind lazen we om het meest. Elke week telden we het aantal gelezen bladzijden, niet het aantal boeken, dat vonden we eerlijker. Wie won, kreeg de helft van het zakgeld van de andere.'

'Heb je vaak gewonnen?' vraagt Tinka.

'Vaak, heel vaak', zegt hij. Hij veegt de sneeuwvlokken van de stapel, in een strelende beweging. 'Dit is de achtste en laatste vracht', zegt hij. 'Ik ben er blij mee. Weet je wat mijn zwartste dag was? Toen ze de grote bibliotheek in het oude stadhuis in brand schoten. Twee miljoen boeken en documenten in de rook opgegaan. Ging jij ook wel eens naar de bibliotheek?

Tinka knikt. Ook zij had met tranen in de ogen staan kijken naar het verkoolde bibliotheekje in haar wijk.

De man kneedt een sneeuwbal en gooit hem tegen het raam, waarachter een vrouw is opgedoken. 'Mijn schoonzus', zegt hij. 'Aardig mens, maar ze leest niet.'

Hij kijkt weer naar de boeken. 'Kun jij thuis rustig lezen?' vraagt hij.

'Ja, als mijn broertje niet huilt', zegt Tinka. 'En als het niet te koud is, zit ik in de tuin te lezen. Daar hoor je hoogstens een vogel.'

'Geluksvogel,' zegt de man. 'Ik huur een flat. In die gebouwen stikt het van de kinderen. Altijd maar gejengel en geruzie en het lawaai van de lift. Ik ben voortdurend op zoek naar een rustige plek om te lezen. Het stadspark vroeger, maar dat is nu een begraafplaats geworden en dat leest niet lekker. Aan de oever van de rivier schieten ze je boek uit je handen. Het mooie binnenplein van de universiteit kun je onder het puin niet meer terugvinden. Weet je waar ik graag zit te lezen? In een kerk, tussen de iconen, de kaarsen en de wierook. Ik geloof in God noch gebod, maar ik doe net of ik de Heilige Schrift zit te lezen!' Hij grinnikt.

'Als het nu geen winter was, kon je bij ons in de tuin komen lezen', zegt Tinka.

De man lacht. 'Dat zal ik onthouden!'

Voor het eerst kijkt hij Tinka onderzoekend aan. 'Jij leest zeker graag?' vraagt hij.

Tinka knikt.

'Waarom?'

Tja, waarom. Daar moet Tinka even over nadenken. Verhalen zijn knuffels. Verhalen komen bij je binnenvallen en nestelen zich meteen alsof ze bij je thuis zijn. Ze laten je daarna nooit meer in de steek. Verhalen hebben heel veel gezichten. Ze kunnen lachen, knipogen, huilen. Net als ik, denkt Tinka, maar dat zeg je toch niet tegen een vreemde?

Ze haalt haar schouders op.

'Domme vraag eigenlijk', zegt de man. 'Heb je thuis veel boeken?'

'Niet meer zoveel als vóór de winter', zegt Tinka. 'Mijn moeder heeft er een aantal in de kachel gegooid.'

'Nou nou, dat vind ik nogal barbaars!' De man staart naar de vallende vlokken en schudt met zijn hoofd.

'Mijn broertje was ziek', zegt Tinka. 'Hij moest het goed warm hebben van de dokter. En we hadden geen kolen of oude kranten meer, en maar een beetje hout. Vandaar.'

'O', zegt de man. 'En is je broertje genezen?'

Tinka knikt.

'De oorlog zet alles op zijn kop', zucht de man. 'Heb je gehuild toen die boeken de kachel in gingen?'

71

'Een beetje. De mooiste mocht ik houden. Vijf.'

Met de punt van zijn schoen trekt de man strepen in de sneeuw. Het gezicht achter het raam verdwijnt. Het blijft maar sneeuwen.

'Geloof je nog in sprookjes?' vraagt de man opeens.

'Nee, maar ik lees ze graag', zegt Tinka.

De man peutert de koord los en haalt een groot boek uit een van de stapels.

'Hier', zegt hij.

Het is een prachtig boek met een harde omslag en een linnen rug. *De gouden vrouw en andere sprookjes* leest Tinka. Ze bladert erin. 'Oohh...' ontsnapt er aan haar mond. De kleurige tekeningen zijn net schilderijtjes.

'Het lievelingsboek van mijn neefje', zegt de man. 'Hij is ook dood. Hij en mijn broer waren samen toen er...' Hij aarzelt en schudt met zijn hoofd. 'Je zorgt er toch voor dat het niet in de kachel belandt?'

Tinka knikt heftig en drukt het boek tegen haar borst.

De man knoopt de koord weer vast en staat op. 'Lees straks maar een verhaaltje hardop', zegt hij. 'Misschien hoort mijn neefje het wel.' Hij glimlacht, maar zijn ogen lachen niet mee.

Hij vertrekt met zijn slee. 'Blijven lezen!' roept hij achterom. 'Dan krijgt de oorlog je niet klein!'

Tinka wuift en draait zich om. Haar pad is af, ze kan terug naar huis.

Haar moeder heeft niet graag dat ze bij kaarslicht leest, voor haar ogen. Bij het licht van de olielamp zal ze niet lang kunnen lezen. De olie wordt per dag afgemeten. Een vinger hoog. Als dat op is, zeg je goedenacht. Maar er gaan zeker vijf sprookjes in een vinger olie, dat heeft Tinka al gezien. Ze zal het mooiste uitkiezen om hardop te lezen. Het wordt een mooie avond bij het licht van de olielamp, met de duisternis als een zachte zwartfluwelen sjaal om haar heen.

Witte bulten

'In elke oorlog heb je slimmeriken en dommeriken', zegt haar vader.

Tinka hoort aan zijn stem dat hij zichzelf een dommerik vindt.

Het sneeuwt al dagen en binnen is het ijzig koud. Er is geen gas, de vijand blijft maar schieten op de arbeiders die de gasleidingen willen herstellen. En er is geen hout meer voor de kachel.

Veel mensen hebben de planken voor hun ramen weer weggehaald en ze vervangen door karton of zeil, soms zelfs een deken. Er zijn mensen die hun meubels aan stukken hebben gehakt en hun parketvloer opgebroken om het eindelijk eens warm te hebben.

Moeder heeft een deken om zich heen geslagen en Tinka draagt twee truien over elkaar.

'Gisteren hebben ze in een park gevochten om de laatste twijgjes', zegt haar vader.

De slimmeriken hadden het zien aankomen. In de late zomer al hadden ze 's nachts schaamteloos dikke takken van de bomen gezaagd en zo een voorraadje in hun kelder aangelegd. En daarna kwamen arbeiders die met kettingzagen een paar eeuwenoude bomen langs de lanen te lijf gingen, om ze dan in opdracht van wie dan ook als brandhout te verkopen. 'En dat om een paar mensen nog rijker te maken', had haar vader gezegd. Toen de herfststormen kwamen, loeide de wind als nooit tevoren.

Zelf had hij het hekje in de tuinmuur afgebroken, er is nu een kale opening. Een groot verwijtend oog, vindt Tinka. Maar die avond hadden ze een paar pannetjes water kunnen opwarmen om zich te wassen, en ze hadden de matrassen naar de keuken gesleurd om nog een stuk van de nacht van de warmte te kunnen genieten.

Tinka loopt naar het raam en kijkt naar de sneeuwvlokken. Vroeger liep ze gillend in de tuin rond, met haar gezicht naar de hemel en haar mond wijdopen. Maar nu is de sneeuw een vijand geworden. De oorlog maakt alles anders. Hij verdraagt niet dat je vrolijk bent.

'Wat doen we nu met de eieren?' hoort ze haar vader zeggen. Hij heeft twee eieren gekregen voor een klusje, en wil ze ruilen voor vier batterijen voor zijn radiootje, dat al dagenlang zwijgt.

Tinka glimlacht. Haar vader noemt zichzelf een 'nieuwsverslaafde'. Hij leest alle muurkranten en hangt uren met zijn oor tegen de radio. 'Om tussen de leugens de waarheid te ontdekken.' Vier batterijen zijn goed voor minstens één maand radionieuws. En daarom blijft hij zeuren over de eieren.

'Doe het maar', hoort Tinka haar moeder met een zucht zeggen. 'Je hebt gelijk. Nieuws is nu belangrijker dan wat er in onze maag zit.'

Misschien belangrijk, maar niet lekker, denkt Tinka. Straks zullen we het weer moeten doen met wat brood uit de stadsbakkerij, ik heb hun doorzeefde bestelwagen zien rondrijden. En misschien heeft de gaarkeuken van de wijk nog wat waterige soep. Anders zal het weer koude thee van dagen geleden worden. Thee zonder suiker, van onbekende bladeren.

Mama heeft een goed hart, zei haar vader ooit tegen haar. En gelijk heeft hij, ze wil hem niet afnemen wat voor hem heel belangrijk is.

'Ik ga naar Branko, goed?' zegt ze. Haar moeder knikt.

Maar Branko is niet thuis. 'Een paar jongens zijn hem komen uithalen', zegt zijn moeder. 'Ik geloof dat ze gingen sleeën. Soms wou ik dat ik die knul kon vastbinden!'

Tinka moet denken aan het jongetje van twee straten verder. Zijn ouders bonden hem bij mooi weer buiten altijd met een lang koord vast aan de deurklink. De hele stad was voor hem ingekrompen tot een halve cirkel.

'Branko zou het koord vast doorknagen', zegt Tinka. 'Ik ga hem zoeken.'

Misschien is hij in het kleine park dat tegen de helling ligt. Je kunt er met een rotvaart naar beneden roetsjen.

Het is stil in de straten. Sneeuwvlokstil, denkt Tinka. Ze vindt het fijn als ze een nieuw woord kan bedenken. Aan de overkant dansen twee veelkleurige mutsen. Vlinders van wol, denkt Tinka. Ze zijn nog mooier als ze plotseling voor je neus opduiken uit dichte wintermist.

Ze heeft geen tijd om over een paar hoge sneeuwbanken te kruipen en te fantaseren dat ze op de noordpool rondloopt.

Maar ze heeft zich voor niets gehaast. In het park klinken geen kreten, het is er doodstil. Tinka dwaalt rond tussen de bomen die stompen zonder takken zijn geworden. Er zijn veel witte bulten bijgekomen. Sinds het begin van de oorlog heeft ze overal graven zien verschijnen. Niet alleen in parken en tuinen en in het sportstadion. Sommige liggen precies op de plek waar iemand werd doodgeschoten. Op de gekste plaatsen vind je een bult met een krans of wat bloemen of een doodsbericht. Soms met een pop of een stuk speelgoed.

Ze komt voorbij een jongen op een bank. Hij probeert zijn tenen warm te wrijven, de neuzen van zijn schoenen zijn weggesneden. Hij kijkt op als hij het knerpen van de sneeuw hoort en knikt gedag.

'Mijn zus', zegt hij, terwijl hij naar een graf wijst. Het stenen zuiltje erop draagt een witte muts.

'Ze was altijd lief voor me', zegt hij. Hij blaast op zijn handen en masseert weer zijn tenen.

'Elke dag', zegt hij. 'Ik kom elke dag. Soms wel twee of drie keer.'

Dan staat hij op en loopt weg.

Tinka laat haar ogen ronddwalen. Opeens ziet ze tussen al die moslimgraven het graf van een christen. Er staat een klein houten kruis op, een beetje scheefgezakt. Tinka kan aan de sterfdatum zien dat het al een jaar oud is. Ze ziet geen voetsporen eromheen. Niemand komt het bezoeken. Misschien is de familie gevlucht naar een andere stad. Een vergeten graf, met een houten kruis.

Hout!

Tinka's hart begint te bonken. Schichtig kijkt ze om zich heen. Als ze nu eens...?

Ze wil niet nadenken. Vlug loopt ze naar het kruis en wrikt het uit de bevroren grond. Ze klemt het tegen haar borst en rent het park uit.

Het is geen kruis, denkt ze, het is een beetje warmte voor mijn moeder die twee eieren heeft opgeofferd voor mijn vader. Ik heb ook een goed hart.

Ze kiest achterafstraatjes en durft niet naar de ramen te kijken. Ze loopt door het steegje naar hun tuintje en duikt het open gat in.

Haar vader staat de dikke ijslaag in de regenton los te hakken om water te hebben voor de wasbeurt morgenochtend.

Hij kijkt nauwelijks op en ziet alleen maar haar rug.

Tinka loopt snel naar de keuken.

'Hout', hijgt ze tegen haar moeder en ze houdt het kruis omhoog.

Ze ziet het gezicht van haar moeder donker worden en meteen weet ze dat ze iets verkeerds heeft gedaan.

'Toch niet van het kerkhof?' zegt haar moeder. Met grote ogen kijkt ze van het kruis naar Tinka, over en weer, over en weer. Dan springt ze op en gaat haar mantel halen. Ze grist het kruis uit Tinka's handen en verbergt het onder haar mantel.

'Kom mee', zegt ze. 'Wijs me de weg.'

Tinka kan haar nauwelijks bijhouden, zulke grote stappen zet ze. Nijdige stappen.

'Als jij daar lag...' zegt ze.

Bij het park duwt ze het kruis in Tinka's handen.

'Ik blijf hier wel wachten', zegt ze.

Ze is beschaamd, denkt Tinka. Beschaamd over haar eigen dochter.

Ze loopt de helling op.

De jongen is er weer. Hij kijkt toe terwijl ze het kruis in het gat plant.

'Lief van je', zegt hij. 'Ook je zus?'

Tinka knikt zonder hem aan te kijken en rent terug.

Haar moeder loopt nog altijd met woeste stappen.

'Ik wou alleen maar...' zegt Tinka.

'Dat jij zo stom kon zijn!' zegt haar moeder. 'Dat had ik van jou niet verwacht. Zeker niet van jou!'

Tinka is niet kwaad op haar moeder, ze is kwaad op de oorlog. Zwijgend loopt ze achter haar moeder aan.

'In de lente zal ik bloemen op dat graf gaan leggen', zegt ze een eind verder.

Haar moeder antwoordt niet.

'Elke dag', zegt Tinka. Haar stem bibbert.

Eindelijk begint haar moeder rustiger te lopen.

De rokken van Olja

'Daar ligt het oosten', zegt de oude Olja.
Langs haar wijzende arm kijken de kinderen omhoog naar de hoogste top van de heuvels rond de stad.
'Van die kant kwam de ster en ze reisde zóóó naar het westen.' Haar arm beschrijft een machtige boog en grote ogen volgen hem. De sprei glijdt van haar schouder, haar linkerschouder zit wat hoger dan de andere.
Olja trekt de sprei dichter om zich heen. Het is koud op het besneeuwde pleintje. Zelfs de oude huizen schuilen schouder aan schouder onder hun witte mutsen.
'Helemaal naar Betlehem in Judea, tot vlak boven de stal', zegt Olja. Haar krukje verdwijnt helemaal onder haar rokken. Niemand weet hoeveel rokken de oude Olja over elkaar draagt. Ontelbare rokken, met ontelbare zakken. En in elke zak zit minstens één papiertje, met een paar woorden in hanenpoten. 's Avonds op het pleintje mag een kind onder haar rokken grabbelen om er eentje te zoeken. Dat papiertje verandert in Olja's mond in een wondermooi verhaal over leven en dood, vreugde en verdriet.
Als Olja vertelt, betovert ze iedereen. Haar stem is veel jonger dan haar rimpels, en nestelt zich in ogen en oren. Benen willen niet meer bewegen zolang zij vertelt.
Vanavond heeft niemand een papiertje mogen zoeken. Vanavond wilde oude Olja vertellen over haar God, een andere God dan die van de kinderen om haar heen.

'In die stal lag het kindje Jezus', zegt Olja. 'In een kleine kribbe, waar hij maar net in paste met zijn spartelende beentjes. Hij had geen sprei en geen vuur, maar lag daar toch lekker warm onder de adem van de os en de ezel.'

De kinderen kijken naar de vlammen voor hun voeten. Elke dag zwermen ze uit en ze blijven wroeten en snuffelen tot ze toch nog wat restjes hout hebben gevonden. Midden op het pleintje, in de sneeuw, steken ze er met moeite de brand in. Dan komt de oude Olja uit haar huis, met haar krukje, dat weten ze. Ze laat haar deur altijd openstaan, in de gang schemeren twee vuilnisbakken. In het trappenhuis springen de schaduwen van alle kanten op je af. Dat heeft Branko verteld, die ooit nieuwsgierig is geweest en er weg is gevlucht. Schaduwen met gloeiende ogen. Misschien dat Olja daarom altijd naar buiten komt, naar het lichtende vuur. Soms brengt ze een pot mee. Ze zet hem op het vuur en roert erin met een pollepel. Dan mag elk kind een slok soep nemen, uit een blauwe gebarsten kom. Eén slok. Maar het is de lekkerste slok van heel de wereld. Ooit hadden er brokjes geitenvlees in gelegen, van een geit die door een verdwaalde kogel was gedood. De kinderen hadden langzaam en aandachtig gekauwd, terwijl het verhaal van Olja over hen neerdaalde als warme sneeuw. Want een verhaal heeft ze altijd bij zich, elke avond. Verhalen over leven en dood, vreugde en verdriet.

'Het kindje Jezus was een heel mooi kindje', zegt Olja. 'Dat kon niet anders, want zijn vader was een engel. Een engel is een grote duif met lange, gouden haren, helemaal gekruld. Hij heeft zijn nest in de witte schapenwolkjes, en als hij ademt vallen er sneeuwvlokken uit zijn mond. Maar dat wisten jullie natuurlijk al.'

De kinderen knikken ernstig. De verhalen van Olja, hoe vreemd ook, zijn allemaal waar, dat horen ze aan haar stem. Vaders en moeders konden liegen, maar Olja niet. Nee, Olja niet. En daarom is de wereld nog altijd een beetje veilig. Tinka kruipt nog dichter tegen Olja aan, met haar neus bijna in haar rokken. Olja ruikt altijd naar melk, zelfs in de vrieskou.

Tinka vindt de God van Olja een plezierige God. Heel anders dan haar moslim-God Allah, die geen gezicht heeft. De God van Olja heeft een babygezicht, en zijn vader is een grote duif met gouden haar, en dat vindt Tinka heel, heel mooi.

'En toen kreeg het kindje Jezus bezoek', zegt Olja. 'Op de heuvels rond Betlehem zaten herders met hun kudden schapen. Zoals vroeger op onze heuvels ginds, tot de kanonnen kwamen om op ons te schieten.' Haar vinger wijst trillend naar de heuvels, die wegzinken in de schemering.

Iedereen volgt Olja's vinger. Vandaag is er nog niet geschoten. Geen doffe knallen, geen gierend gefluit ergens in de grauwe hemel, geen wolken van gruis en steenbrokken of rennende mensen. Het is misschien daarom dat de deuren nog niet zijn opengegaan en moeders nog altijd niet hebben geroepen. Een rustige avond zonder onverwacht bloed, met dansende kaarsvlammetjes achter sommige ramen.

'De engelen waren naar de herders gevlogen', zegt Olja. 'Als glanzende strepen in het maanlicht. En ze zongen: Hij, die de wereld zal redden, is geboren. Nog nooit hadden de herders zulke ijle, mooie stemmen gehoord. Ze keken, met grote ogen.'

Tinka ziet weer de ogen van haar vader, die ochtend. Donkere, harde ogen waar ze bang voor was geweest. 'Niemand,

niemand op de hele wereld weet hoe hij ons hieruit kan redden', had hij gezegd. Zijn stem had geknarst als de verroeste zwengel van de pomp op het pleintje. En toen had haar vader even gehuild, zonder geluid.

'En na de herders kwamen de drie koningen', zegt Olja. 'Koningen met prachtige baarden en wijze ogen. Ze hadden een heldere ster gevolgd, dwars door landen zonder oorlog en landen met oorlog. En in het stro legden ze hun geschenken: goud, wierook en mirre. Kijk.'

Uit een zak onder haar zoveelste rok haalt Olja een donkerrood potje met een dekseltje tevoorschijn. Met gespitste vingers licht ze het deksel op en laat de kinderen de korreltjes zien.

Olja neemt een brandende spaander, houdt hem even hoog in de lucht en steekt hem dan met een plechtig gebaar tussen de korrels. Grijzige rook kringelt omhoog en Olja laat het potje onder de neuzen heen en weer gaan, heen en weer.

Tinka sluit haar ogen. Dit is de heerlijkste geur die ze ooit heeft geroken. Heerlijker dan de geur van geitenvlees in hete soep. Hij is zwaar en maakt haar hoofd licht. Ze heeft het gevoel dat ze begint te zweven. Misschien ben ik wel een engel, denkt ze.

Ze hoort Olja zeggen: 'Koning Caspar zei: dit kind zal de wereld redden. Koning Melchior zei: hij zal alle wapens doen zwijgen. Koning Balthasar zei: hij zal vrede brengen.'

Tinka begint met haar hoofd te wiegen, heel zacht, ze kan het niet tegenhouden. 'Caspar... Melchior... Balthasar...' mompelt ze moeizaam. Altijd als ze naar Olja luistert, ligt haar tong zwaar in haar mond.

Pas als de korreltjes zijn opgebrand en de laatste restjes geur verdwenen, doet Tinka haar ogen open.

Olja staat kaarsrecht en staart naar de donkere heuvelvlek-ken. Alle kinderen kijken naar haar grote, hoekige gestalte. Hun veilige houvast in de gevaarlijke stad.

'Als jullie vannacht niet kunnen slapen, kijk dan uit het raam', zegt Olja. 'Misschien zien jullie dan de ster. Elk jaar reist hij nog één keer door de hemel, vanuit het oosten. Kinderen kunnen hem zien, grote mensen niet.'

Een tijdlang blijft ze zwijgend staan, en niemand durft een woord te zeggen.

Dan schudt Olja even met haar hoofd, zucht, neemt haar krukje en verdwijnt in haar huis.

De laatste vlammen flakkeren en de eerste moeder roept.

De kinderen beginnen naar huis te slenteren, na een verhaal van Olja kun je nooit rennen.

Tinka blijft in haar eentje bij het uitdovende vuur staan.

Waarom heeft Olja met haar hoofd geschud? Gelooft ze niet meer in haar eigen verhalen?

Met haar schoenpunt probeert Tinka een duif in de sneeuw te tekenen. Het lukt niet zo goed. Ze zucht en speurt de hemel af.

En opeens ziet ze de ster.

Hij springt uit de hoogste heuvel, als heeft hij er zich dwars doorheen geboord. Hij heeft een vurige staart en komt bliksemsnel naar Tinka toe en ze glimlacht. Hoort ze daar niet iemand zingen, ijl en mooi?

Met een scherpe knal valt de ster op het pleintje en Tinka voelt een schok. Verbaasd kijkt ze naar de vuile strook sneeuw en het rommelige gat waar de ster is ontploft, en dan naar haar schouder. Een stuk van haar jurk is weg, en uit een gapende wonde in haar schouder stroomt bloed, helemaal langs haar arm, tot op de duif in de witte sneeuw.

Olja heeft gelogen, denkt Tinka. Nu is er niemand meer om te vertrouwen.

Dan pas voelt ze de bijtende pijn.

Getik op de tegelvloer

Tinka wordt langzaam wakker. Bedden, overal bedden, in een groot lokaal.

Nu weet ze het weer. Ze ligt in een school die voor ziekenhuis dient. Ze herinnert zich de vlag met het rode kruis boven de ingangspoort.

Tinka staart naar het plafond. Ergens in dit gebouw is haar moeder ongeveer een jaar geleden van Simo bevallen. Net toen ze op de verlostafel lag, boorde zich een granaat door wel vier lokalen, door de ene muur na de andere. Al wie bij haar stond, was meteen naar de kelders gevlucht. Maar een oude vroedvrouw was naar boven gekomen en had Simo uit de buik van haar moeder gehaald terwijl een deel van het gebouw in brand stond. Iedereen in de wijk kent het verhaal van de geboorte van Simo.

Tinka laat haar ogen ronddwalen. In een hoek ligt een ordeloze hoop krukken. In een andere staat een grote rieten mand vol bebloed verband. Aan de muren hangen vergeelde kindertekeningen met stakerige boompjes en huisjes met scheve schoorstenen en figuurtjes met een gebogen streep als lachende mond, tussen posters van paarden in galop. Een dokter en een verpleegster staan over een kind gebogen, er glinstert iets in de handen van de dokter. Plotseling begint het kind te krijsen. Tinka wil haar oren dichtstoppen, maar één arm wil niet omhoog. Dan pas voelt ze het dikke verband om haar linkerschouder. En de pijn. Het beeld van de oude

Olja met haar wijzende arm schuift voor haar ogen. Olja die heeft gelogen, maar dat is een ander soort pijn

'Geen verdovingsmiddelen meer, hoe is het mogelijk', hoort ze de verpleegster tegen de dokter zeggen. 'Ik kan er niet meer tegen."

Tinka perst haar lippen op elkaar. Ze wil niet kreunen, en zeker niet krijsen.

'Is er al een oplossing voor dat jongetje met zijn geamputeerde been, ginds in de hoek?' hoort ze de dokter zeggen.

'Nee'. De stem van de verpleegster klinkt vermoeid. 'We weten nu wel zeker dat zijn ouders zijn omgekomen en de rest van zijn familie zit al maanden in het buitenland. We zoeken een opvanggezin, maar dat kan nog even duren.'

'Hopelijk niet te lang,' zegt de dokter, 'we hebben bedden te kort.'

Ze gaan het lokaal uit. Bij de deur botsen ze bijna tegen Branko. Zijn ogen gaan zoekend rond en Tinka steekt haar rechterarm omhoog.

Branko gaat heel voorzichtig bij haar op bed zitten. 'Ik heb het nu pas gehoord', zegt hij. 'Je moeder zei dat het gelukkig maar een vleeswond is. Wel diep, maar niet gevaarlijk. Vanmiddag komen ze je ophalen, maar ik kon zolang niet wachten.'

Hij snuift de stank van bloed en ontsmettingsmiddelen op.

'Nu ben je een oorlogsheld', zegt hij. 'Iedereen die gewond raakt is een oorlogsheld. Misschien krijg je wel een medaille van de burgemeester. Die moet je dan je hele leven dragen, ook als je gaat slapen.'

Tinka giechelt, maar door een nieuwe pijnscheut verkrampt haar gezicht.

'Doet het zo'n pijn?' vraagt Branko. Zijn gezicht komt dichterbij.

Tinka knikt.

'Ook gisteravond, toen ze de granaatscherf eruithaalden?'

'De verpleegster zei dat ik niet flauw moest doen, dat er hier kinderen zijn zonder benen en kinderen die in een brandend huis vastzaten.'

De pijn wordt zo hevig dat de tranen haar in de ogen springen. Met een duim veegt Branko ze weg, helemaal over haar wangen. Het kriebelt een beetje.

'Toen ik nog kleuter was, gaf mama altijd een kusje op mijn knie als ik was gevallen en dan deed het minder pijn', zegt hij. 'Zal ik...?'

Tinka trekt het schouderstuk van haar nachthemd omlaag. Ze schrikt van de bloedvlek in het verband. De krullenkop van Branko komt dichterbij en hij drukt voorzichtig een kus op het verband, pal op de bloedvlek. En ja, het lijkt wel een wonder, de pijn gaat haast helemaal weg.

'Weet je wat ik in de gang zag?' zegt Branko. 'Vier kinderen die om het snelst op hun krukken liepen. Te gek. Een meisje heeft gewonnen. En lachen dat ze deed!'

Er komt een verpleger binnen met een pak verband. Hij komt naar Tinka's bed. Ze zien zijn glimlach niet, ze kijken naar de bloedspatten op zijn handen.

'Vandaag is er zelfs geen water om het bloed van onze handen te wassen', zegt hij. 'Ga je even rechtop zitten? Ik kom je verband ververzen. En ik ga je arm in een draagband leggen, om je schouder een beetje te ontlasten. Over een week mag je hem weer afdoen.'

Branko helpt Tinka rechtop, met zijn hand in haar rug.

Langzaam wikkelt de verpleger het oude verband los. Bij de laatste lagen doet het pijn. Tinka durft niet naar de wond te kijken en Branko ook niet. Ze houden elkaar vast met hun ogen, zo lang als de verpleger bezig is. Hoe meer Tinka kreunt, hoe dieper de rimpels tussen Branko's ogen worden.

'Misschien kan je broer je nu beter wat laten rusten', zegt de verpleger als hij klaar is.

Tinka glimlacht. Branko haar broer, ze zou het wel willen.

'Ze mag vanmiddag toch naar huis?' vraagt Branko.

'Eigenlijk nu al', zegt de verpleger. 'Er zijn weer een paar kinderen binnengebracht en we hebben bedden nodig.'

'Dan ga ik meteen je ouders halen!' zegt Branko tegen Tinka en hij gaat ervandoor.

Tinka zinkt weg in het kussen en doet haar ogen dicht. Ze huilt stil van de pijn, tot ze een zacht getik op de tegelvloer hoort. Een smal gezicht duikt voor haar op. Ze herkent het jongetje met het geamputeerde rechterbeen. Het getik kwam van zijn krukken.

'Heb je pijn?' vraagt hij, terwijl hij naar haar tranen kijkt.

Tinka knikt.

'Ik niet meer,' zegt hij, 'maar...'

Met een hand begint hij de deken te strelen, steeds opnieuw, alsof hij hem liefkoost.

'Als je weer buiten bent, wil je dan...' Hij hapert. 'Wil je dan tegen iemand zeggen dat ik hier ben?'

Tinka slikt. Opeens weet ze dat ze niet moet huilen. Dat ze niet verdrietig moet zijn. Zo dadelijk komen mama en papa. En Branko. En de pijn is maar pijn. Pijn gaat weg. Mama en papa en Branko blijven.

Even neemt ze de hand van de jongen vast en knijpt erin.

Een stem tot ver in de omtrek

'Ben je zeker dat je mee wil?' vraagt haar vader nog eens zodra ze buiten zijn.

'Ja hoor', zegt Tinka. 'Mijn schouder doet haast geen pijn meer.'

De sneeuw knerpt onder hun voeten en boven hun hoofd hangen bleke sterren. Het is al de hele avond rustig, het lijkt wel vrede.

'Oude liederen, gezongen door de beste stemmen van het land, het zal zeker mooi zijn', zegt haar vader. 'Jammer dat mama er geen zin in had. Ze is erg moe de laatste tijd.'

Tinka ziet weer haar gezicht. De twee groeven langs haar mond worden almaar dieper.

'Ik ben nog nooit in die kerk van de katholieken geweest', zegt haar vader. 'Maar bij dit concert maakt het niet uit in welke god je gelooft, en of je wel gelooft. Iedereen is er welkom, als een teken van verzoening.'

Dat vindt Tinka een mooi woord. Verzoening, zoenen, Branko. Ze begrijpt het woord zonder uitleg.

Op de trap naar de ingang van de kathedraal is het druk. 'Een volle kerk is eigenlijk veel te gevaarlijk, het trekt granaten aan', zegt haar vader. 'Maar er is weer eens hoog bezoek, en dan schieten ze niet.'

Bij de binnendeur ziet Tinka twee vaten van steen, met water erin. Sommige mensen steken er hun hand in en maken dan een gebaar van hun voorhoofd naar hun borst en hun schouders.

'Ze maken het teken van het kruis', fluistert haar vader in haar oor als ze vragend naar hem opkijkt.

Tinka vindt het een vreemd gebouw, heel anders dan de moskee. Het is langwerpig en het plafond rust op zes zuilen. Tussen twee zuilen ziet ze een trap naar een grote kuip van steen, met een afdakje erboven. Overal branden kaarsen, ze werpen een beetje licht op het gekleurde glas-in-lood van de ramen.

'Alle stoelen en banken zijn al bezet', zegt haar vader. 'We zullen in een zijbeuk moeten gaan staan.'

Ze schuifelen langs de zijwand, voorbij een paar kasten met een laag deurtje en gordijntjes. Boven een tafel met een mooi laken ziet Tinka een gebeeldhouwde bleke man aan een kruis en twee vrouwen die droevig kijken. Aan de muur hangen een hele reeks kleine schilderijtjes.

Tinka let goed op dat er niemand tegen haar draagband stoot. Ze kan bijna tot helemaal vooraan doorschuiven en ziet de muzikanten goed zitten. Ze hebben dikke jassen aan en blazen op hun vingers. De meeste instrumenten heeft Tinka nooit eerder gezien, maar de piano herkent ze natuurlijk. Een paar weken geleden heeft ze een man midden in een halfverwoest huis op een piano zien spelen. 'Een echte vleugelpiano', zei hij tegen haar en aan zijn stem had ze gehoord dat het iets bijzonders was. De piano had gebogen poten die eindigden in leeuwenklauwen. 'Het mooie deksel is helaas in de kachel beland', zei de man. Hij speelde een huppelend melodietje voor haar, Tinka's vingers begonnen ervan te kriebelen. 'De TV is zelfs een keer hier geweest', zei hij. 'Nu ben ik beroemder dan toen ik in grote zalen speelde!' Maar hij had niet tevreden geglimlacht, vreemd. 'Ik speel nog elke dag', zei hij. 'Elke dag, ze kunnen me wat!' Daarna had de melodie een stuk woester geklonken.

De kerk zit intussen propvol, ook in de zijbeuk staan de mensen schouder aan schouder. Tinka staat op de eerste rij, ze kan over de hoofden van de mensen op de banken kijken. Ze hebben hun feestelijkste kleren uit de kast gehaald, en hier en daar blinken oorringen en halskettingen.

De piano begint zacht te spelen en de muzikanten stemmen hun instrumenten. Uit een zijdeur komt een man met een kaal hoofd. Hij heeft een stokje in zijn hand. Hij buigt naar de mensen, draait zich om, steekt het stokje in de hoogte en opeens klinkt er muziek.

Een vrouw met een bontjas, blauwe handschoenen en rode lippenstift doet een stap naar voren. Haar boezem zwelt en ze begint te zingen. Haar adem verandert tegelijk in ijzige wolkjes en in klanken die lijken te fonkelen. Tinka staat met open mond te luisteren. De stem maakt zich los van de vrouw en begint te zweven, tot tegen het onzichtbare plafond, tot in de verste uithoeken. Tinka wist niet dat een stem zo kon stijgen en dalen, met donkere klanken en trillinkjes, met boogjes en bochtjes, ja zelfs met watervalletjes. Bijna kan ze er zelf niet meer van ademen.

Als het lied is afgelopen, voelt Tinka de hand van haar vader over haar hoofd strelen. Ze kijkt op en ziet in zijn ogen de muziek nog zitten. In de stilte kan ze haar eigen hart horen bonzen.

De zangeres kucht mooi beleefd achter haar hand, kijkt dan naar de man met het stokje en knikt. En daar vliegt de stem weer omhoog, steeds hoger, dadelijk barst ze misschien. Ze vloeit uit dat grote lichaam weg, naar de mensen, naar Tinka, ze voelt hoe de ruimte in haar borst een stuk groter wordt. Ze zou willen gillen en dansen, maar iedereen kijkt zo ernstig. Het volgende lied wordt vast heel droevig, Tinka hoort het aan de slepende donkere klanken. Ze komen uit een groot, donkerbruin instrument tussen de knieën van een jonge man. Hij strijkt met een lange stok over de snaren en staart omhoog, alsof hij daarboven een verschijning ziet. Hij heeft een zacht gezicht en lang blond haar. Misschien is hij wel een van de engelen over wie de oude Olja heeft gesproken.

Tinka houdt wel van mooi-droevig, ze kan erin wegzinken en een beetje medelijden hebben met zichzelf of met haar moeder, zonder dat er tranen komen.

Een man met een rood fluwelen vest zet een stap naar voren. Hij begint samen met de vrouw te zingen. Soms kringelen hun stemmen om elkaar heen, ze lijken wel verliefd op elkaar. Was Branko nu maar hier.

En dan is er een korte pauze. De mensen beginnen te wiebelen en te kuchen. Tinka is blij dat ze even kan bewegen. Ze kijkt om zich heen, ook naar de schilderijtjes op de zijmuur. Op een ervan ziet ze een vrouw in een blauwe jurk onder een kruis zitten, met op haar schoot een bleke naakte man met een witte lendendoek. Vast het schilderij dat de fotograaf bedoelde toen hij het over de dood van een jongen had, hoe heette die ook alweer, Iljas? Op de laatste schilderij wordt de bleke man in een graf gelegd, de vrouw in het blauw staat gebogen toe te kijken.

De muziek en de zang beginnen opnieuw, en bij heel droevige liedjes denkt Tinka aan de vrouw in het blauw en aan Iljas.

Maar dan komen er liedjes die iedereen kent, al van school, en Tinka kan meeneuriën. De stemmen van de zangers huppelen, Tinka wordt er helemaal vrolijk van. Bij het laatste

liedje maakt de man met het stokje door een gebaar duide-
lijk dat de mensen op de maat mogen meeklappen en Tinka
klapt in haar handen tot ze gloeien. Ze kijkt naar de glimla-
chende gezichten van de mensen en proeft nog eens het
woord verzoening op haar tong.

De man met het stokje, de muzikanten en de zangers buigen
wel vijf keer als het afgelopen is.

'Mooi?' vraagt haar vader, terwijl ze naar buiten schuifelen.

'Heel mooi', zegt Tinka.

Op de terugweg zeggen ze niet veel.

Zodra ze in bed ligt, fantaseert Tinka dat ze de volgende ochtend wakker wordt als louter stem, zonder lichaam. En die
krachtig zingende stem klinkt tot ver in de omtrek en iedereen luistert verrast, zelfs de mannen op de heuvels. Zo lang
als de stem zingt, vergeten ze te schieten.

En morgen kan ze eindelijk eens de rollen omkeren en Branko een nieuw woord leren.

Kuiltjes in de wangen

Tinka bekijkt nog eens haar tekeningen van waterverf. Zelfs in het licht van het weifelende oliepitje zijn de kleuren helder. Ze heeft nooit kanonnen of dode mensen of ruïnes in donkere kleuren willen tekenen. Niets dat kapot of lelijk of dreigend is. Daar dienen kleuren toch niet voor? Jammer dat het rode potje al een tijdje leeg is, anders had ze de gele circustent rode strepen kunnen geven.

Ze kneedt haar schouder. Zelfs na twee maanden zonder draagverband voelt hij soms nog stijf aan.

Ze zucht, de avond duurt lang.

Ze kijkt naar de lapjes stof op tafel, het hoopje wordt almaar hoger.

'Je zou een brief naar Selena kunnen schrijven', zegt haar moeder. 'Ze zit er vast op te wachten. Het is alweer een tijdje geleden.'

Selena. Op een dag, in het begin van de oorlog, was haar boezemvriendin komen zeggen dat ze met haar ouders naar Wenen vertrok, tot de oorlog voorbij zou zijn. Tinka had al andere kinderen zien vertrekken, naar Praag of Londen of Amsterdam. Maar Selena, nee, dat had ze nooit verwacht. Bij het afscheid gaf Selena haar haar hele verzameling blinkende snoepwikkeltjes. In al die maanden zonder snoep had ze ze vlijtig bijeengescharreld. Ze zou schrijven, ze zou telefoneren, ze zou snel terugkomen en dan zouden ze voor altijd bij elkaar blijven, echt waar. 's Avonds had Tinka op een landkaart gezocht waar Wenen lag en ze had gehuild.

'Zal ik papier en een balpen voor je halen?' vraagt haar moeder.

Tinka knikt. De telefoon is al maanden dood, er zit niets anders op.

'Hier, als hij af is, zal ik er nog iets bijschrijven, voor haar ouders. Goed?' zegt haar moeder.

Tinka zet het oliepitje iets meer naar rechts, schrijft 'Hoi Selena!' en denkt na.

Vind je Wenen nog altijd een toffe stad? Heb je al nieuwe vriendjes? Is er veel snoep? Ik heb je wikkeltjes nog, soms ruik ik eraan.

Hier gebeurt elke dag wel iets. Ken je de oude Amra nog, twee huizen verder in mijn straat? Ze is vorige week gestorven. Er was geen hout meer voor doodskisten. Papa heeft dan maar een kist getimmerd met stukken van haar klerenkast. Hij vond ook nog een pot rode verf in haar kelder en heeft de kist knalrood geschilderd. We hebben haar in haar blauwe deken gewikkeld. Zo blauw, dat het pijn deed aan mijn ogen. Toen hebben we de kist op mijn slee gezet en zo naar het kerkhof gebracht. En toen ik me die avond waste, keek ik lang naar de blauwe aders op mijn lichaam. Vooral op mijn polsen en in de plooien van mijn ellebogen. Mijn huid leek opeens zo vreselijk dun. Ik kneep heel hard in mijn arm om te zien of ik er nog was.

Nu Garka de straatzanger niet meer kan zingen, doet hij iets anders. Hij zoekt overal naar scherven van granaten en verzamelt ze in een doos. Hij heeft ze me laten zien. Ze zijn olijfgroen. Er staan cijfers en letters op. De staart van een granaat

heeft vinnen, wist je dat? Als Garka genoeg stukken heeft,
gaat hij er een groot beeldhouwwerk mee maken, zegt hij. Een
OORLOGSMONUMENT *noemt hij het.*
Je kent Milenko toch nog, die zo goed kan turnen? Die ons
soms turnles gaf in de schuilkelder? Nu is hij zijn benen kwijt.
Hij zit in een rolstoel en oefent voor de Olympische Spelen voor
gehandicapten. Hij rijdt er sneller mee dan ik kan lopen. Hij
gaat winnen, zegt hij. Zijn spierballen zijn nog dikker gewor-
den, van dat draaien aan die wielen. Branko denkt dat zijn
spieren nog eens uit zijn vel gaan barsten.

Tinka legt even haar balpen neer. Te veel beelden ineens komen naar boven, ze weet niet waarmee verder te gaan. Ze
luistert naar het geluid van de schaar.

Op straat zie ik elke dag nieuwe dingen. Alleen de glasscher-
ven en brokken steen blijven altijd hetzelfde. Twee straten ver-
der woont een rare vrouw. Elke vrijdag hangt ze de kleren van
haar dochtertje aan een wasdraad. Haar dochter is al twee
maanden dood, maar die vrouw blijft de kleren wassen. Al wat
in haar hoofd zat, is opgevreten door verdriet, denk ik.
Ik vind het gezellig als de brandweer water uitdeelt. De men-
sen komen niet alleen met flessen of emmers, maar ook met de
gekste karretjes: kruiwagens en handkarren en boodschappen-
wagentjes van een supermarkt. Ik zag zelfs een ziekenhuistafel
op wieltjes! En alles piept en kraakt op zijn eigen manier, ik
luister er graag naar.
Door de glazen deuren van een flatgebouw zag ik een meisje
rolschaatsen. Altijd dezelfde kleine rondjes, in de hal. Een
meisje met heel bange ouders. Ik wou iets tegen haar gaan

zeggen, maar ik wist niet wat.

Ik zag een bordje met PAS OP VOOR DE HOND *achter een raam en
ik moest lachen. Er kan elk moment een granaat op je kop vallen, waarom zou je dan bang zijn voor een hond? Branko en ik
hebben een hond gevonden die door zijn achterste poten was
gezakt. Een kogel in zijn ruggengraat, zei Branko. We droe-
gen hem naar huis. Sla hem dood met een hamer en stop hem
in de pot, riep een man onderweg naar ons. Er zijn mensen die
honden en katten en duiven vangen en opeten. Maar Branko
probeert de hond in leven te houden in zijn tuinhuisje. Hij gaat
een hondenkarretje maken, zegt hij, met twee wielen. De hond
kan dan zijn achterlijf op het karretje leggen en met zijn voor-
ste poten lopen. Liever honger dan hondenvlees, zegt Branko.
Branko is lief. Vandaag ben ik met een bon een voedselpakket
gaan ophalen. Ik was blij dat er een blik leverworst in zat. We
hebben vaak honger. Op een brokje brood kun je heel lang
kauwen. Jij eet zeker vlees en verse groenten? Geluksvogel.*

Tinka legt weer haar balpen neer. Ze zal moeten kiezen, an-
ders wordt de brief te dik en te duur.
'Gaat het een beetje?' vraagt haar moeder.
'Ja hoor.' Tinka denkt na.

*In de buurt van de kleine moskee is de gevel van een huis bijna
helemaal weg. Je ziet tafels en stoelen en kasten staan. Er
woont nog een vrouw. Ze poetst elke dag, alsof er niets is veranderd. Mama zegt dat je de oorlog niet overleeft als je de hele
dag droevig in een hoekje blijft zitten. Mama begrijpt altijd
veel meer dan ik. Toch blijf ik het een beetje gek vinden.
Weet je nog dat we vorig jaar met de meester naar een museum*

zijn geweest? Ze hebben het leeggehaald. Ze gaan alles veilig opbergen, tot de oorlog voorbij is. Ik zag een schilderij met een heel oude man die rustig zat te lezen. Ik lees de laatste tijd ook heel veel.

Een gebouw aan de andere kant van de rivier heeft een nieuwe naam gekregen: HET HUIS VAN DE KERSTMAN. *De christenen hebben een feest dat Kerstmis heet, en dan deelt de kerstman geschenkjes uit. Er zitten al een week sluipschutters in dat huis. Hun kogels zijn de geschenkjes, snap je? Aan de overkant hebben mensen een heel groot zeil gespannen, dwars over de straat. Tegen die schutters dus. Het zeil waait in de wind. Er zitten al veel kogelgaten in. Ze durven zelfs te schieten op dokters die een gewonde op straat willen helpen. En op ziekenauto's. Papa zegt dat het nog veel erger is in de wijk bij de luchthaven. Daar hebben de mensen loopgraven gegraven, ze durven niet meer over de straat te lopen. Soms kruipen ze over de daken, van schoorsteen naar schoorsteen. Ze hakken er gaten in de muren, om van huis tot huis te kunnen lopen. Stel je voor, je ligt in bed en opeens lopen er mensen door je slaapkamer! Mijn papa weet alles, hij luistert veel naar de radio. Mama is nu aan een speelpak voor Simo bezig, met lappen stof van oude kleren. Simo begint al woordjes te zeggen, ik speel veel met hem. Hij huilt vaak, maar hij is ook lief. Hij heeft kuiltjes in zijn wangen als hij lacht. Ik ga soms voor de spiegel staan, maar ik zie nooit kuiltjes. Ik weet niet of ik mooi ben. Hier is de winter bijna voorbij. Gelukkig. Kou kan heel koud zijn zonder vuur. Is het in Wenen al een beetje warm? Als je nog eens een ijsje gaat eten, wil je dan aan mij denken? Ik fantaseer soms dat ik aan een ijsje lik. Een ijsje met wel drie bollen, allemaal van een verschillende kleur. Mijn tong wordt er elke*

keer koud van, echt waar. Stuur je weer een foto mee met je vol-
gende brief? De vorige, die waar je tegen dat gekke stand-
beeld leunt, bekijk ik elke dag. Schrijf gauw!

'Ik ben klaar', zegt Tinka.
Ze laat haar stoel aan haar moeder en gaat bij het raam naar
de donkere tuin staan kijken. Ze verlangt naar de lente. De
lente met kleuriger kleren in de straten en trams die vaker
hun bel laten klinken en mensen die buiten in het zonnetje
zitten of tuinen omspitten.
'Goed, heel goed', hoort ze haar moeder achter haar rug zeggen. 'Ik heb altijd al geweten dat je een moedig kind bent.'
Moedig, hoezo? denkt Tinka.
'En je bent ook een mooi kind, vast en zeker', zegt haar moeder.
Tinka glimlacht in de donkere ruit, ze kan niet zien of ze deze keer kuiltjes in haar wangen heeft.

Tien rijpende appels

Scharrelen, noemt Tinka het.

Zomaar wat ronddwalen in de zon. Achter elke straathoek kan een Geheim opduiken. Geheimen zijn het mooiste wat de belegerde stad haar kan geven.

Tinka wijkt uit voor een man en een kind met een handkar. Ze kijken niet naar haar. Hun ogen zijn ergens anders. Misschien staren ze naar binnen, waar hun verdriet als een donkere bol huist. Op de kar ligt een lichaam onder een deken. De voeten met versleten schoenen steken er nog net onderuit. Met schokjes wiebelen ze onder het gehobbel van de kar. Heen en weer, heen en weer. Alsof ze van de kar willen springen om tot ver buiten de stad te lopen, waar het verdriet ze niet meer kan vinden.

Tinka slikt.

Een beetje lusteloos begint ze weer te slenteren. Altijd mensen met vermoeide of gespannen gezichten. Overal gevels met littekens en daken vol gaten, met een bedrieglijk blauwe lucht erboven.

Tinka's voeten volgen geen richting. Ze komt op de plek waar gisteren granaten zijn ingeslagen. Ze hoort een licht geknetter achter een nog gave muur.

Misschien schuilt hier het eerste Geheim van de dag.

Voorzichtig zoekt ze een weg door het puin. Achter de muur ziet ze een gebouwtje met een deur die uit de hengsels hangt: het schuurtje van een huis dat er bijna niet meer staat. Het puin ligt verspreid in het tuintje, tot tegen een schutting waar de takken van een boom overheen hangen. Een van de weinige bomen die de oorlog tot nu toe heeft overleefd.

Tinka kijkt naar een hond die tussen het puin wroet. Dan ziet ze schaduwen dansen in het schuurtje.

Ze steekt haar hoofd door de deuropening en kijkt pal in het gezicht van een man, die bij een vuurtje zit.

'Dag', zegt de man.

'Dag', zegt Tinka.

'Aan de wandel?'

Tinka knikt.

De man wijst naar het pannetje op het vuur.

'Kom binnen. Het is dadelijk gaar.'

De man kijkt haar aandachtig aan terwijl ze tegenover hem op de grond gaat zitten.

'Jij bent precies zo oud als mijn zoontje', zegt hij. 'Joeri. Een flinke jongen. Een heel flinke jongen. Ik mis hem.'

O nee, zeg niet dat hij dood is, ik wil het niet horen, denkt Tinka. Ze probeert haar hoofd te vullen met het geknetter van het vuur.

'Hij is bij zijn oma op het platteland. Drie dagen al. Hij weet niet dat ons huis is verwoest.'

Met een lange splinter hout roert de man in het pannetje en neemt het dan van het vuur.

'Nog even laten afkoelen', zegt hij. 'Te heet voor de vingers.'

Hij kijkt van Tinka weg.

'Restjes van mijn schaap', zegt hij. 'In stukken gereten.'

Tinka slikt. Achter haar tanden duwen woorden, maar ze kunnen niet naar buiten.

Een tijdje staren ze allebei naar het sissende vlees.

'Geloof je in sprookjes?' vraagt de man plotseling.

'Niet meer', zegt Tinka.

'Jammer', zegt hij.

Hij probeert een stukje vlees op te vissen, laat het weer vallen en blaast op zijn vingertoppen.

'Mijn Joeri is dol op sprookjes', zegt hij. 'Elke avond moest ik hem er een vertellen. Zal ik je het sprookje vertellen dat hij het liefste hoorde?'

Tinka knikt.

'Mag het een beetje treurig zijn? Treurig, maar ook wel mooi.'

Weer knikt Tinka.

'Het is het verhaal van de vogel Urubur. Een heel rare vogel. Hij was zwart als een raaf en had toch één witte veer. Hij miste één teen en kon bij het fluiten geen toon houden. Iedereen lachte hem uit, en daarom hield hij zich schuil in het bos. Op een dag kwam Iljona er wandelen. Ze zag Urubur in de bladeren rondscharrelen. Hij vloog niet weg toen ze bij hem neerhurkte. Gek, dacht Iljona, een vogel die niet vliegt. Toen ze het bos weer uitliep, hipte Urubur haar achterna, een beetje mank vanwege de teen die er niet meer was. Zelfs toen ze tussen de huizen kwamen, wilde Urubur niet wegvliegen. Iljona gaf hem een eigen plekje in haar keuken, naast de kachel. Nooit eerder had ze een vriend met vleugels gehad, en ze vertelde hem al haar geheimen. Dan luisterde Urubur, met zijn kopje een beetje schuin. Elke dag gingen ze in het bos wandelen, en ze lieten de mensen achter hun rug roddelen. Voor een vriend ga je door dik en dun. Op een wondermooie dag vol zon werd het zo heet dat de katten leerden zwemmen. Zelfs de hagedissen lagen op apegapen en de wolken waren gevlucht. Op die dag dus wilde Iljona haar vriend een plezier doen. Kom, zei ze, we klimmen in een boom en gaan vliegen. Ze klommen tot in het topje van een grote beuk. Toen spreidde Iljona haar armen en sprong. Ze zweefde weg. Urubur sprong ook, maar hij viel en brak zijn nek, terwijl Iljona juichend naar de heldere horizon vloog. Het ga je goed, kraste Urubur haar achterna, en toen gleed er een vliesje over zijn kraaloogjes.'

De man zwijgt.

'Vond je 't mooi?' vraagt hij ten slotte.

'Ja, en ook droevig', zegt Tinka.

De man houdt haar het pannetje voor. Ze vist een brokje vlees op en begint te kauwen.

De hond komt binnen. Hij snuffelt even aan Tinka en gaat dan naast de man liggen.

'Hij wil hier niet weg, huis of geen huis,' zegt de man. 'De hele dag al zoekt hij naar botjes die hij in de tuin heeft begraven. Maar hij kan ze onder het puin niet vinden.'

Hij steekt de hond een brokje vlees toe.

'Ik wil hier ook niet weg', gaat hij verder. Hij wijst naar het raam, waar geen ruit meer in zit. 'Zie je die takken? Van de appelboom van mijn buurman. Er hangen tien groene appeltjes aan onze kant van de muur. Het is een vroege soort.'

Hij zwijgt en aait de hond.

'Precies tien?' vraagt Tinka.

'Joeri heeft ze geteld. Net voor hij naar zijn oma vertrok.'

'Geteld? De appels geteld?'

'Joeri vroeg me bij zijn vertrek de ladder tegen de takken te zetten. Ik hield de ladder vast terwijl hij erop klom.'

De man staat op en loopt naar het raam. Tinka kijkt naar de

scheur in zijn broek.

'Hij heeft ze even aangeraakt, alle tien. Ik hoorde hem zeggen: "Niet afvallen, hoor. Op mij blijven wachten. Over een maand zijn jullie rijp. Dan is de oorlog voorbij en kom ik terug. Een maand is toch niet lang?" Dat zei hij. Mijn zoon, Joeri.'

De man staart naar de wuivende takken.

'Nu zit hij ginds en denkt aan de tien appels die elke dag meer sap en kleur krijgen. Als ze vol en rond zijn, zal de oorlog voorbij zijn, dat weet hij. Dat geeft hem moed.'

De hond loopt naar de man en duwt met zijn snuit tegen zijn been. De man laat zijn hand stil op de kop van het dier liggen.

'Ik wil hier blijven en wachten tot de appels rijp zijn', gaat hij verder. 'Dan breng ik ze naar hem. Het zal een feest zijn. Hij zal ze opeten terwijl hij naar de horizon zit te kijken.'

De man draait zich om.

'En jij? Hoe hou jij het hier nog uit?'

Tinka haalt haar schouders op en denkt na. 'Ik zoek Geheimen', zegt ze. 'Ik spaar ze op. Als ik me treurig voel, haal ik ze tevoorschijn. Ze zijn warm.'

'Hmm', zegt de man met een goedkeurend knikje.

'Nu... nu heb ik er weer een heel mooi Geheim bij', zegt Tinka aarzelend.

De man glimlacht.

'Jij bent een wijs kind', zegt hij. 'Jij spartelt er wel doorheen.'

Tinka hoort de luidsprekers op de minaretten zingen en staat haastig op.

'Ik moet weg', zegt ze.

'Kom je me een nieuw geheim vertellen als je er weer een gevonden hebt?' vraagt de man achter haar rug.

'Als het mooi is', zegt Tinka. 'Zo mooi als dit.'

'Het mag ook een beetje treurig zijn!' roept de man haar door het kapotte raampje achterna. 'Denk aan het sprookje!'

Langzaam loopt Tinka de straat op.

Een maand.

Over een maand zal de oorlog voorbij zijn.

Joeri weet het, en nu kent ze zijn Geheim.

*Voor de realisatie van dit boek ontving de auteur
een reisbeurs van het Vlaams Fonds voor de Letteren.*

OVER DE AUTEUR

Ed Franck werd op 27 juli 1941 in Beringen geboren. Hij groeide op in een gezin met dertien kinderen. Na zijn middelbare school ging hij Nederlands en Engels studeren en werd leraar in Hasselt. Zijn hobby's zijn wandelen, lezen, klassieke muziek beluisteren en een geestig gesprek voeren. Op zijn vierenveertigste debuteerde hij met *Spetters op de kermis*. Het werd meteen bekroond door de Kinderjury. Sindsdien zijn er al meer dan 50 boeken van hem verschenen! En hij is niet alleen auteur, hij doet ook veel voor jeugdliteratuur in het algemeen.

Ed kwam uit een groot gezin en had dus altijd iemand om mee te spelen of om een beetje te plagen. Maar daarnaast las hij enorm veel. 'Als kind las ik met te pletter, overal waar het niet te heet of te koud was of de stormwind mijn boeken niet wegwaaide.'

Het is onmogelijk zijn boeken onder één noemer te plaatsen, want hij is van alle markten thuis. Zo schreef hij liedjes en verhalen voor kleuters, verhalen over het gewone leven van kinderen, historische verhalen, harde detectives, psychologische romans en poëzie voor jongeren. In alle genres valt zijn gevarieerde taal op. De hoofdfiguren in zijn boeken voor kinderen zijn tegen machtsvertoon, vertrouwen vooral op zichzelf en zijn heel creatief.

Over een jeugdboek zegt hij: 'Het heeft iets universeels. Er is misschien een benedengrens, een leeftijd waarop iemand een bepaald boek kan beginnen lezen. Een bovengrens is er niet.' En zijn ideeën, die haalt hij overal: 'Een schrijver is een enorme spons. Alles komt terecht in een kookketel waarin de schrijver nog de sappen van zijn hersenen laat vloeien en zo ontstaat een gek brouwsel dat men "kinderboek" noemt.'

TINKA
Ed Franck
Omslagillustratie: André Sollie
© NV Uitgeverij Altiora Averbode, 2001
D/2001/39/13
ISBN 90-317-1684-7
NUGI 221

STICHTING NEDERLANDSE
KINDERJURY
2002

CIP

TINKA
Ed Franck
Omslagillustratie: André Sollie
112 blz. - 14,5 x 12,5 cm
Vormgeving: Katrijn De Vleeschouwer
ISBN 90-317-1684-7
NUGI 221
Doelgroep: vanaf 10 jaar
Trefwoord: oorlog, Balkan